Le Club des Girls

Catalogage avant publication de Bibliothèque et Archives nationales du Québec et Bibliothèque et Archives Canada

Bourgault, Catherine, 1981-

Le Club des Girls

Sommaire : t. 1. Un bal vraiment pas rêvé !

Pour les jeunes.

ISBN 978-2-89585-513-2 (vol. 1)

I. Bourgault, Catherine, 1981- . Bal vraiment pas rêvé ! II. Titre. III. Titre : Un bal vraiment pas rêvé !

PS8603.O946C58 2014   jC843'.6   C2014-940390-1

PS9603.O946C58 2014

Les Éditeurs réunis bénéficient du soutien financier de la SODEC et du Programme de crédit d'impôt du gouvernement du Québec.

Nous remercions le Conseil des Arts du Canada de l'aide accordée à notre programme de publication.

Nous reconnaissons l'aide financière du gouvernement du Canada par l'entremise du Fonds du livre du Canada pour nos activités d'édition.

Édition :
LES ÉDITEURS RÉUNIS
www.lesediteursreunis.com

Distribution au Canada :
PROLOGUE
www.prologue.ca

Distribution en Europe :
DNM
www.librairieduquebec.fr

 Suivez Les Éditeurs réunis sur Facebook.

Imprimé au Québec (Canada)

Dépôt légal : 2014
Bibliothèque et Archives nationales du Québec
Bibliothèque nationale du Canada
Bibliothèque nationale de France

CATHERINE BOURGAULT

Le Club des Girls

UN BAL VRAIMENT PAS RÊVÉ !

LES ÉDITEURS RÉUNIS

De la même auteure

Sortie de filles – tome 1. Parce que tout peut changer en une soirée…, octobre 2013.

Sortie de filles – tome 2. L'enterrement de vie de jeune fille, mars 2014.

Blanc maculé d'une ombre – tome 1, mars 2012.

Blanc maculé d'une ombre – tome 2, novembre 2012.

Blanc maculé d'une ombre – tome 3, septembre 2013.

 Catherine Bourgault – Auteure

 cath_bourgault

À des girls vraiment super :
Mara, Sandrine et Sara.

En route pour l'Île-Ville

Non! La pile de mon iPod est à plat. Morte! Finie! En plein milieu de *Il faut que tu t'en ailles* de Marie-Mai en plus… tout juste avant mon passage préféré, le refrain. Pas de chance. Je m'enfonce dans mon siège en soupirant. On roule à une vitesse affreusement lente depuis combien de temps maintenant? Deux heures? C'est long!

«Partout, pour vous servir». C'est tout ce que j'ai sous les yeux. De grosses lettres jaunes imprimées sur la porte arrière du camion de déménagement que nous suivons depuis le matin. Même si je tourne la tête pour regarder par la vitre, le paysage est assez moche. Un arbre, un poteau, un champ… un arbre, un poteau, un champ. Il n'y a pas grand-chose à voir.

Je lève les yeux au ciel. C'est tout ce que je sais faire depuis que mes parents m'ont annoncé la pire nouvelle de ma vie: on quitte la ville pour la *campagne*. Et puis quoi encore? Passer une charrue sur mes rêves et ma vie sociale?

Ils ont acheté une épicerie! Je vois ça d'ici: «Marguerite! Lave le plancher! Marguerite! Remplis les sacs! Fais du rangement sur les étagères.» Je vais leur en faire, moi, de belles pyramides avec les boîtes de soupe Campbell!

— Tu verras, Marguerite, c'est beau, la campagne. On entend les oiseaux chanter, on aura une vue splendide sur le fleuve, ont tenté de me convaincre mes parents, toujours en manque de défis.

Bien essayé!

Ouais, peut-être pour le fleuve, mais pour les oiseaux, on repassera. J'entendais tout de même très bien les pigeons de ma chambre au centre-ville. Ce n'est pas eux qui intégreront une nouvelle école au milieu du mois d'avril. Avril, c'est le printemps, deux mois avant la fin de l'année scolaire ! Le moment idéal pour se faire des amis, c'est évident. #NOT

J'ai vérifié sur Google Maps. Là où mes parents ont élu domicile, il n'y a pas de cinéma, pas de centre commercial et pas de feux de circulation ! L'Île-Ville, c'est à trois cent vingt et un kilomètres de Montréal. Trois heures et neuf minutes qui me sépareront maintenant de Joanie, ma *best*. C'est le genre d'endroit où l'on voit des vaches derrière les clôtures et des tracteurs dans les rues. Où ça sent la m****.

Toujours enfoncée dans mon siège, j'étire le doigt pour gratter le menton de Caramel, mon chat. Il ronronne paisiblement sous le soleil qui plombe sur sa cage. Au fond, ce sera peut-être *cool*, l'Île-Ville. Je m'accroche à l'idée que tant qu'il y a un réseau WiFi, il y a de l'espoir.

On verra bien.

1
Bienvenue dans le club

Arriver dans une nouvelle école en fin d'année scolaire, c'est ordinaire. Mais quand ta première journée est un mercredi, c'est désastreux. Je laisse des traces d'eau sur le plancher en ne regardant rien d'autre que le quadrillé des tuiles. Il y a encore beaucoup de neige ici, mes bottillons ne sont pas de saison.

— Tu es nouvelle?

Je me retourne d'un bond, mon sac glissant brusquement à mes pieds. Deux filles m'observent avec de grands yeux. Non, je dirais plutôt un regard de pitié. Je passe une main nerveuse dans mes cheveux en essayant de sourire.

— Euh… oui.

Je me sens atterrir sur une autre planète. Nouvelle école, nouveau décor, nouveaux visages… ma *best* me manque. Les filles devant moi se collent l'une à l'autre, bras dessus, bras dessous.

— Nous aussi, m'annonce celle au teint naturellement foncé.

— Bienvenue dans le club! s'exclame la grande qui porte des lunettes.

Je hausse un sourcil.

— Quel club?

Elles s'approchent aussitôt de moi pour m'entourer, presque fébriles.

— Le Club des Girls! Moi, c'est Emma, se présente celle aux lunettes, et elle, c'est Marilou. Tu rencontreras Océane plus tard. Nous sommes toutes les trois nouvelles de cette année. On s'est regroupées pour faire face à l'adversité!

Son clin d'œil me trouble. J'avale ma salive en pinçant les lèvres. Ma réaction la fait sourire. Elle ramasse mon sac au sol, puis me le tend doucement. Voilà donc le club des *losers* dont personne ne veut. Dois-je prendre mes jambes à mon cou?

— Ne t'inquiète pas, on sera là pour t'aider et tout t'expliquer. Il y a quand même une ou deux choses importantes à savoir quand on arrive à l'Île-Ville!

Rien d'encourageant. Le petit rire aigu qui sort de sa bouche non plus. Mais son visage a l'air tellement sympathique que je ne peux faire autrement que de m'esclaffer à mon tour. Elle est grande, et ses cheveux châtains sont très longs. Elle porte un chemisier blanc ajusté, des bijoux délicats à ses oreilles et à son poignet, un iPod déborde un peu de sa poche. Une jeune fille de famille modèle.

— D'accord, alors, je compte sur vous pour me dévoiler tous les mystères de l'Île-Ville. Moi, c'est Marguerite.

— Eh bien, Marguerite, tu verras, il y a de bien beaux mystères par ici! ricane l'autre fille.

Quel est son nom déjà? Marilou? Sa peau est basanée et ses yeux sont légèrement bridés. Visiblement, elle n'est pas d'ici.

— Tu es chanceuse, tu arrives juste à temps pour le bal de vendredi! ajoute-t-elle, excitée.

Je retrousse le nez. En ce moment, l'eau s'est infiltrée dans mes bottillons, mes orteils sont mouillés, je ne sais pas où est mon casier, encore moins le local de mon premier cours de français. Et elle me parle de bal ? J'arrive surtout juste à temps pour y faire tapisserie, oui ! Je lève une main indifférente.

— Vous savez, les bals… moi…

Est-ce que je peux simplement trouver un endroit où déposer mon manteau ?

— Il faudra que tu te déniches un gars pour t'accompagner, poursuit Emma, qui tapote l'écran de son iPod. Hmmm… Laisse-moi réfléchir, il en reste sûrement un de libre encore.

Oui, bien sûr. Le plus laid ou le plus idiot. Super !

— Bon, c'est bien mignon, un bal, mais d'ici là, j'ai une ou deux choses à faire !

— As-tu le numéro de ton casier ? Je vais t'aider à t'y rendre, propose Marilou avec son sourire coquin.

Avec ses yeux noirs brillants, on dirait qu'elle est sur le point de jouer un mauvais tour. Sa grâce frappe également. Elle bouge en faisant des gestes tout en douceur, mais précis. Elle doit être gymnaste ! Je sors de ma poche un bout de papier chiffonné que la secrétaire m'a remis en entrant.

— C'est le 138.

Mes deux nouvelles copines se figent, toute expression ayant disparu de leur visage. Emma cesse de pianoter sur l'écran, Marilou retire sa main protectrice de mon avant-bras. J'ai un mouvement de recul.

— Quoi, on a jeté une malédiction sur ce numéro ?

— Allô, les filles…, marmonne une voix dans notre dos.

Celle qui vient de se joindre à nous a un piercing au sourcil et un autre sur la lèvre supérieure. Elle mâche sa gomme avec une énergie si débordante que j'entends sa salive remuer dans sa bouche. Eurk !

Emma refait sa tresse dans un temps record ; la rapidité de son geste m'impressionne.

— Océane, on a une petite nouvelle dans le club. Elle s'appelle Marguerite.

Ses yeux se posent sur mes cheveux bruns un peu ébouriffés par le vent, mes oreilles vierges de bijoux, puis mon manteau Nike de la dernière mode de Montréal. Pendant qu'elle me détaille, elle fait une énorme bulle rose avec sa gomme.

— Bonjour, Marguerite.

Je hoche la tête, intriguée par son look de rockeuse à petit budget : une couleur de cheveux oscillant entre le rouge et le noir, des cils épaissis par un mascara bon marché, des vêtements amples, des bottes qui montent jusqu'à ses genoux.

— Elle a le casier 138 !

Ses yeux s'illuminent, sa mâchoire s'immobilise.

— Oh mon Dieu !

Mon regard se promène de l'une à l'autre. Elles sont toutes les trois figées. Un sentiment de malaise profond se répand autour de nous. J'ai l'impression qu'une bombe nucléaire va exploser si l'une de nous ouvre la bouche.

— Quelqu'un veut bien m'expliquer ce qui se passe ?

— Le casier 138 est au bout du couloir, collé au mur, débute Emma.

Pourquoi chuchote-t-elle ? Le cœur veut me sortir de la poitrine sans que je sache pourquoi. Mes pieds sont complètement imbibés d'eau maintenant !

— C'est celui juste à côté du 137.

Mes sourcils se froncent. Elles rient de moi ou quoi ?

— J'avais compris !

Marilou attrape mes deux poignets pour me tourner face à elle.

— Le 137, c'est le casier de Mike Lambert. Il est simplement trop *hot* ! Grand, yeux bleus, gros bras… Mais il ne parle jamais à personne. Certains disent qu'il habite dans une cabane au creux de la forêt avec son père, mais on ne le sait pas vraiment.

Super ! Cela fait à peine cinq minutes que j'ai mis les pieds dans l'école qu'on m'annonce qu'il y aura un bal dans deux jours et que mon voisin de casier est une espèce de Robin des Bois mystérieux. Pourquoi ai-je la nette impression que ce ne sera pas la dernière confidence qu'on me fera ? Je porte mes mains à mes hanches d'un air décidé.

— Autre chose que je devrais savoir ?

Océane la rockeuse n'a vraiment pas le prénom pour aller avec son look. Elle penche son corps vers l'avant pour n'être entendue que de nous. Instinctivement, je fais le même mouvement.

— Ne contrarie jamais Rosianne Blais. Elle te le fera payer cher !

J'écarquille les yeux.

— Tu la reconnaîtras facilement, termine-t-elle en se redressant.

J'inspire par petits coups, on peut dire que c'est une rentrée mouvementée. Et il n'est que huit heures cinq.

— Ah ! dernière chose, reprend Marilou.

Quoi encore !

— Méfie-toi des jumeaux Côté.

Les trois filles éclatent d'un rire presque mesquin, cela m'inquiète. Décidément, dans quelle ville de fous suis-je tombée ?

— C'est qui, les frères Côté ?

— Tu le sauras bien assez vite !

Génial !

2
Une entrée remarquée

Je n'ai pas croisé mon voisin de casier, ni de frères jumeaux, ni de Rosianne chose. Je n'ai que mes trois nouvelles amies qui me collent aux fesses. Nous formons une belle brigade. Quatre paires de jambes qui marchent au même rythme. Pas si mal comme rentrée scolaire finalement : trente minutes et je fais déjà partie d'une gang. Presque trop facile !

Les filles s'installent à leur table de travail, l'une à côté de l'autre, au fond de la pièce. Il n'y a qu'Océane qui nous a laissées devant la porte, elle n'est pas dans notre groupe. Moi, je piétine devant le bureau de madame Couillard, qui fouille dans les papiers éparpillés sur sa surface de travail. Marguerite Lafleur. Avec un nom comme le mien, il m'est impossible de passer inaperçue. Surtout quand la prof à moitié sourde me le fait répéter quatre fois.

— Marguerite Lafeuille ?

La moitié de mon visage étant caché par mes cheveux, je n'ai d'autre choix que de hausser le ton pour me faire entendre.

— Non, Lafleur.

Oui, je sais, comme la fleur blanche et jaune. Une vague de rires secoue les épaules des trente élèves qui m'examinent de la tête aux pieds. Un seul, à part mes copines, me regarde sérieusement entre ses cils mi-clos. Il paraît plus grand que les autres, peut-être parce qu'il se balance sur les pattes arrière de sa chaise. Son bras est appuyé nonchalamment sur le dossier, sa tête est légèrement inclinée sur la droite. Je tente un sourire en sa direction, auquel il répond par un haussement de sourcils.

J'essuie discrètement mes doigts humides sur mon jeans tout en reportant mon attention sur madame Couillard, qui me regarde par-dessus ses lunettes rondes.

— Tu peux te choisir une place, dit-elle en me pointant les deux endroits qui sont encore libres. Allez, les enfants, on lui souhaite la bienvenue!

J'ai l'impression d'être dans une classe de maternelle. À *go*, on envoie la main aux amis! Le groupe marmonne un «bienvenue» sans enthousiasme. Au moins, je ne suis pas forcée de me présenter devant tout le monde. Monsieur Grenier faisait toujours le coup aux nouveaux: «Parle-nous de toi!» Qu'aurais-je pu leur raconter? «Enfant unique provenant de la grande ville et aimant la lecture, fraîchement débarquée à la campagne en raison de parents très ambitieux.» Ça résume bien ma petite vie!

D'un coup d'œil rapide, j'analyse où je vais m'asseoir. J'ai le choix entre un grand maigre au sourire détestable, ou une fille squelettique qui porte un appareil dentaire deux fois plus gros que sa bouche.

Je choisis la fille.

Je tiens d'une main serrée la bretelle de mon sac à dos en me rendant vers l'arrière de la classe, sous le regard lourd de mes nouveaux camarades. Les tables sont larges, mais les allées sont étroites. Je dois enjamber quelques sacs et plusieurs pieds qui se dressent sur mon chemin. Dans ma manœuvre pour éviter ces obstacles, j'accroche une bouteille d'eau au passage. Une chaise grince, un cri aigu résonne.

— Merde! Espèce d'idiote! Tu aurais pu faire attention!

— Oh, désolée !

Je ramasse gauchement la bouteille maintenant vide de son contenu. La grande blonde au pantalon rose bonbon bondit sur ses pieds en secouant son chandail détrempé. Il est si moulant qu'on voit très bien la dentelle de son soutien-gorge.

— Tu vas me le payer…

Pendant qu'elle grogne quelques gros mots entre ses dents, je l'observe un peu plus en détail. Une peau pêche, des cheveux coupés à la dernière mode, des jambes effilées, des mains graciles… Les deux imbéciles qui se précipitent pour lui venir en aide me confirment ce que je croyais : c'est la princesse de l'école ! C'est inévitable, il y en a toujours une. Emma se prend la face à deux mains en secouant la tête de gauche à droite. J'ai tout compris.

C'est « chose ». Rosianne Blais.

Madame Couillard a tout entendu, car elle cesse momentanément d'écrire au tableau.

— Ça va, Rosianne ?

— Ouais, ça va ! C'est juste que la petite conne n'a pas regardé ce qu'elle faisait, et là, je suis toute mouillée !

En ce moment, ses yeux bleus lancent des éclairs. Elle m'examine de haut, les lèvres pincées. Il n'y a rien de sympathique dans ce visage pourtant parfait. La belle affaire ! Ce n'est que mon premier cours et je me fais déjà une ennemie. J'ai même eu droit à mes premiers surnoms : conne et idiote.

3
Le casier 137

La cloche a l'effet d'une bombe à la fin du cours. Madame Couillard n'a pas terminé de nous expliquer notre travail à remettre la semaine prochaine que tous les élèves se précipitent dans le couloir, comme s'ils avaient été éjectés de leurs sièges par une décharge électrique. Ils se bousculent comme des singes évadés d'un zoo, rien de moins ! Ça se pousse, ça crie, ça monte sur les chaises…

Moi, je préfère les laisser s'éloigner. Je range mes crayons dans mon étui que je referme lentement. J'empile bien droit mes livres avant de les déposer dans mon sac un par un. J'étire le temps. Je n'ai pas envie de me retrouver dans la grande salle avec tous les regards interrogateurs braqués sur moi. Je replace ma chaise avec précision : le dossier est bien aligné, les pattes sont parallèles avec celles de la table.

En réalité, j'attends les filles avant de sortir de la classe. Ce sera moins pénible d'affronter la foule d'élèves entourée de mes nouvelles copines. Du moins, ce serait plus rassurant de ne pas être seule la première fois que je croiserai les frères jumeaux, ou encore Rosianne-la-pas-fine. Elle doit déjà m'attendre au fond d'un couloir avec des ciseaux pour me crever les yeux. Marilou a une discussion enflammée avec un joli garçon qui la regarde en hochant la tête, le visage sérieux. Emma écoute leur conversation. Je me fais discrète, je n'ose pas m'en mêler.

J'allais quitter ma place lorsque quelqu'un est venu contrecarrer ma route. Je reçois soudainement un coup de sac à dos, ou un coup de hanche, ou les deux, je ne sais trop. Ma main glisse sur le bord de ma table, mon corps bascule vers l'avant. Je me retrouve à quatre pattes comme une brebis au milieu de l'allée. Je redresse sans tarder la tête pour voir qui m'a bousculée ; une grande blonde dans le genre de Rosianne se tient sur le pas de la porte. Elle a la même façon qu'elle de serrer les fesses et de remonter sa poitrine, pourtant peu impressionnante. Les mêmes épaules droites, le même cou relevé... Elle fait partie de sa gang, c'est certain. Elle me lance un sourire figé à la Miss Personnalité avant de disparaître.

— Ça va ?

Je me retourne et mon regard suit des pieds à la tête celui qui se trouve devant moi. Il porte des chaussures défraîchies, un pantalon noir, un t-shirt rouge... C'est le garçon qui se balançait sur sa chaise pendant que tous les autres riaient de mon nom. Ses yeux sont très bleus. Dommage qu'ils soient cachés par ses cheveux. Il se penche pour ramasser mon sac.

— Oui, ça va.

Je me redresse rapidement en secouant mon pantalon. Il me tend mon sac, que je serre contre ma poitrine. Il reste là sans bouger, il plisse même les yeux exactement comme il l'a fait plus tôt. Je trépigne sur place.

— Mer... mer... ci.

Bravo pour le bégaiement !

J'attends quelques secondes, dans l'espoir d'une réaction de sa part. Il est difficile à cerner. Est-il gentil ou méchant ? Ses bras musclés m'éblouissent, sa façon de me dévisager aussi. Il a l'air plus vieux que les autres gars de deuxième secondaire. Au fond de la classe, je remarque Emma qui sautille sur place, tenant une feuille blanche au bout de ses mains. «Casier 137!» Mes yeux s'arrondissent malgré moi. J'essaie de reporter mon attention sur le garçon. Alors, c'est lui mon voisin de casier?

Casier 137 pince les lèvres. Pendant une seconde, je crois qu'il va ouvrir la bouche, mais non, il me contourne vivement. On dirait qu'il est pressé. En deux battements de cils, Emma est à mes côtés, complètement énervée.

— Il t'a parlé? Il t'a vraiment parlé?

Je reprends mes esprits. Je ne suis pas certaine de comprendre le sens de sa question.

— Pas vraiment, il m'a demandé si ça allait…

Emma met une main sur sa poitrine, on dirait qu'elle est sur le point de mourir d'une crise cardiaque. Ma mère fait pareil geste quand je laisse échapper un gros mot…

— Non, tu ne comprends pas, Marguerite. Mike ne parle jamais à personne, il ne dit pas même un bonjour. On se demandait s'il avait des cordes vocales.

Ah bon!

Le garçon qui discutait avec Marilou sort de la classe, les mains dans les poches et la mine basse. Elle n'a pas l'air plus heureuse que lui. Quelque chose ne va pas. Emma se penche pour chuchoter à mon oreille.

— On t'expliquera. Pour le moment, on bouge d'ici! lance-t-elle un peu plus fort.

Je jette un coup d'œil à droite, pour constater que les tables de travail sont vides, et un autre à gauche, pour voir que madame Couillard nous scrute avec ses sourcils relevés.

OK, on s'en va!

4
Face-à-face

Nous longeons le corridor orange décoré de dessins peints par des élèves en art. C'est superbe, même si je ne sais pas trop ce que ça représente. Il faut dire que je ne sais rien faire d'autre que des bonshommes allumettes. Plus on avance, plus le brouhaha des élèves qui bavardent dans la grande salle s'intensifie.

— On peut dire que tu ne perds pas de temps, toi! lance Emma en passant son sac sur son épaule. Premier cours et tu humilies la princesse Rosianne en renversant de l'eau sur son beau chandail! Elle va en faire des cauchemars.

On délaisse une allée pour en emprunter une autre. J'ai l'impression d'être dans un labyrinthe sans issue. Je mords à belles dents dans ma barre tendre aux fruits. Ark, aux canneberges. Ah! Maman!

— C'était un accident…

Si au moins je l'avais fait exprès!

— Elle te fera la peau! ajoute Marilou.

— On parle de moi?

Nous nous arrêtons aussitôt. Le son de la voix rusée derrière nous me donne la chair de poule. Évidemment, pas besoin d'être magicienne pour deviner de qui il s'agit. Zut! Juste au moment où nous arrivions enfin dans la grande salle avec tout le monde. J'aurais pu me cacher dans mon casier, me faire oublier…

Marilou est la première à se retourner. Je suis trop lente à bouger, Emma attrape ma main pour me faire pivoter vers l'ennemie. C'est pire que je le pensais : trois filles au menton relevé et aux bras croisés forment un mur devant nous. Nous faisons face à l'escouade du clan des chipies. D'ailleurs, je reconnais celle qui m'a fait tomber tout à l'heure.

Rosianne est au centre, un sourire satisfait écartant ses lèvres. Tout comme elles, Marilou croise ses bras sur sa poitrine. Ça me fait sourire, car elle n'a pas leur maintien de déesses jalouses qui se croient les reines de l'école. Marilou est une fille gentille, avec des pommettes adorables et de longs cheveux noirs soyeux. Elle ne fait pas très peur.

— Dégage !

Dite d'une voix haute et tellement *fifille*, l'insulte de Marilou passe comme un couteau dans du beurre mou. Rosianne ne la regarde même pas, elle braque ses yeux de glace sur moi.

— Tu viens au bal vendredi ?

Son regard défiant me donne envie de m'enfuir, mais il pique aussi mon orgueil. Si je me pointe à ce bal, elle me fera vivre l'enfer, je le sais. Mais il vaut mieux vivre l'enfer que de la laisser gagner. Je gonfle mes poumons d'air pour ne parler que dans un souffle.

— Pourquoi ? Tu m'invites ?

Mon ton est calme, pourtant mes genoux tremblent un peu. Ma répartie courageuse fait glousser mes copines. Les yeux de Rosianne sont sombres, elle ne m'a pas trouvée drôle.

— Toi, je te retiens…

Elle hoche la tête lentement, toujours avec son petit sourire malicieux. Puis, sans prévenir, elle tourne les talons. À ce signal, les deux autres font de même. Bien dressées, elles s'exécutent sans dire un mot. Je regarde leur déhanchement ridicule pendant trop longtemps. Un peu plus et les garçons se jetteraient à genoux pour les vénérer au passage.

— Hé ! Rosianne !

Mon cri surprend tout le monde, moi la première. La chipie hésite une seconde avant de me faire face de nouveau. Les élèves autour espèrent une bataille en règle, des cheveux arrachés, des vêtements déchirés. La nouvelle contre la reine des lieux ! Je me demande qui gagnerait…

Je la fixe avec mon air d'enfant gâtée, celui que je fais à mes parents quand je n'ai pas écouté leurs consignes.

— Ton mascara coule un peu.

Je n'ai pas l'habitude d'être arrogante, mais cette fille est insupportable, il faut que je l'affronte tout de suite pour casser son jeu. Je suis prête à recevoir tous les surnoms de la terre, à me faire lancer des tomates. Elle me retourne un sourire figé. Ah ! C'est tout ? Pas de doigt d'honneur ? Pas d'empoignade ?

Je soupire. Non, bien sûr, elle me réserve tout ça pour le soir du bal. Qu'est-ce qui m'a pris de lui dire que j'irais ? Emma trépigne de joie. Marilou me secoue le bras comme si j'étais de la guenille.

— Wow ! On peut dire que tu sais te défendre !

Non, je sais très bien me mettre les pieds dans les plats. Je relève la tête, Rosianne et sa bande ont disparu. Je vois Mike Lambert appuyé à son casier, un sourire ravi sur le visage.

5
Méfiez-vous des jumeaux Côté

Pour la première fois, je marche seule, sans mes nouvelles amies, d'un pas incertain vers mon casier, sous les regards et les murmures des élèves qui m'entourent. Mon face-à-face avec Rosianne la chipie n'est pas passé inaperçu. J'entends quelques «Bravo!», mais beaucoup de «T'es dans la merde!»

Eh! Zut…

Je ne les écoute pas, je répète en boucle dans ma tête la combinaison de mon cadenas afin de pouvoir l'ouvrir du premier coup : 56-10-32, 56-10…

Stratégie efficace, le cadenas cède sous mes doigts au premier essai. Si je pouvais me faire toute petite et entrer dans mon casier pour y passer l'heure de gym qui s'en vient, j'en serais très heureuse.

Curieuse, je m'arrête un instant pour jeter un œil au casier 137. Évidemment, Mike n'y est plus depuis longtemps. Il est parti aussitôt que nos regards se sont croisés. Étrange, le gars. Comme les filles me l'ont dit, il est vraiment *hot*. Ce n'est pas son air rebelle qui m'a le plus marquée, mais sa façon d'agir. On dirait qu'il est dans un monde parallèle. *Dans son monde*. Il fait un peu peur, je trouve.

Je troque mes livres de français contre mon sac d'éducation physique. Même si je me débrouille bien avec un ballon, je préfère de loin une période tranquille à la bibliothèque à lire un livre passionnant. Je dévore les mots comme je dévore une Caramilk dégoulinante de caramel. J'aime plonger dans l'univers des personnages, m'imaginer être l'héroïne qui sera sauvée par le beau héros...

Quelqu'un me tape sur l'épaule alors que je fouille au fond de mon sac, à la recherche d'une autre barre tendre. Aux brisures de chocolat, peut-être, cette fois-ci. Certaine que ce sont Marilou et Emma qui me rejoignent pour me guider vers le gymnase, je ne me retourne pas tout de suite.

— J'espère qu'il est mignon, au moins, le prof de gym !

C'est trop silencieux derrière moi, j'ai un doute.

— Oh oui ! À ce qui paraît, il n'est pas si mal, me répond une voix en pleine mutation.

Je bondis. Dans mon élan, la porte de mon casier se fracasse contre le rebord métallique, ce qui crée un vacarme. Je relève la tête pour voir le visage de celui qui m'interrompt dans la dégustation de ma collation. Il est très grand. Son sourire est charmant et plutôt sincère. Ses cheveux dépassent çà et là sous sa casquette stratégiquement alignée dans un angle parfait : ni trop vers l'arrière, ni complètement sur le côté.

— Allô, la nouvelle !

Je marmonne un bonjour, subjuguée par la vitesse à laquelle son aki passe d'une main à l'autre.

— Moi, c'est Olivier. Tout le monde raconte que tu t'appelles Marguerite Lafleur, c'est vrai ?

Il n'a pas l'air méchant; les muscles de mes épaules se relâchent et mes doigts crispés sur mon sac se desserrent.

— Mes parents sont jardiniers.

Ma réponse classique!

J'entends un boom sur ma droite : une épaule vient de percuter le casier 137. Ma bouche s'entrouvre de stupéfaction, laissant sûrement paraître quelques morceaux de barre tendre. Le sosie d'Olivier me regarde avec des yeux noirs rieurs.

— Tiens, Oli, tu dragues déjà la nouvelle? Moi, c'est Thomas.

Même visage un peu rond et marqué par une acné naissante. Même grandeur, mêmes sourcils, mêmes lèvres minces. Toutefois, celui-ci ne porte pas de casquette. Leurs vêtements ne sont pas identiques non plus, mais pour le reste…

Il n'y a pas de doute, j'ai affaire aux jumeaux Côté.

Celui sans casquette – Thomas – me tend une feuille et un crayon.

— Nous sommes du comité organisateur du bal de vendredi, on fait un sondage pour savoir ce que vous aimeriez boire et manger, quelle musique vous aimeriez entendre… bref, peux-tu y répondre?

Y a-t-il une question sur la façon de survivre à un bal en compagnie de Rosianne Blais? Je saisis la feuille et le crayon pendant qu'ils se mettent à jouer avec leur aki au milieu de la place, sans faire tomber cette drôle de balle.

Préférez-vous :

☐   Eau

☐   Liqueur

☐   Jus

☐   Alcool

☐   Autres

Je sourcille. Si l'alcool est permis dans une activité qui se déroule à l'école, ils sont plus dégourdis qu'en ville par ici ! Mes parents vont capoter… OK, j'opte pour le jus.

— Ouche !

Je lâche soudainement le crayon, qui rebondit au sol. J'ai mal du bout de mes doigts jusqu'à mon coude. Une vraie décharge électrique ! Les deux frères sont morts de rire. Zut ! C'était un crayon truqué. «Méfie-toi des jumeaux Côté», m'avait prévenue Marilou.

Eh bien ! Voilà, je me suis fait avoir comme une débutante. *Une petite nouvelle, quoi.*

6
Le prof de gym

Un premier cours mouvementé, suivi d'une première récré très divertissante. Je n'ose pas imaginer ce qui m'attend dans le cours de gym. Mon bras engourdi pend lourdement le long de mon corps. J'ai l'impression que la décharge électrique a aussi fait friser mes cheveux.

— On te l'avait dit, de te tenir loin d'eux, me répète Marilou.

Toute cette histoire de sondage portant sur le bal était un prétexte à jouer leur farce plate. Ils sont repartis en ricanant, tout en se faisant un *high five* sonore. Deux gamins complices dans le crime. C'est chou, quand même.

— Ils sont toujours comme ça?

— Ce sont les terreurs de l'école. Les profs s'arrachent les cheveux à cause de leurs conneries, mais au fond on les aime bien. Ce sont les premiers à aider les autres qui ont besoin de soutien.

Emma m'arrête juste au moment où j'allais pousser le battant pour entrer dans le gymnase.

— Quoi?

Elle inspire profondément, ferme les yeux et pointe ses bras vers le ciel. Est-ce de la méditation transcendantale?

— Ce que tu t'apprêtes à voir dépasse toutes les beautés suprêmes de ce monde.

Je pince les lèvres pour retenir un fou rire, mais Marilou glousse déjà.

— Ne l'écoute pas, elle est pâmée sur Alex, le prof de gym.

— Laisse-la rire, se défend Emma en refaisant pour une énième fois la tresse dans ses cheveux. Attends de voir, ça surpasse Mike Lambert!

— Ah oui! Vraiment?

Je la pousse gentiment pour ouvrir la porte avec enthousiasme. Rosianne et sa bande sont déjà là à faire des étirements. Elles exagèrent les mouvements pour montrer qu'elles ont des muscles plein les fesses. Elles sont affublées d'un cuissard noir moulant, évidemment.

Je roule des yeux. Pourquoi est-elle dans mon groupe, qui veut bien me le dire?

Le prof coche des noms sur une feuille, au fur et à mesure que les élèves entrent. Il a des épaules carrées, une barbe de trois jours, du gel dans les cheveux… Ouais, il est pas mal. Emma se ramollit à côté de moi.

— Oh mon Dieu! Il a mis son chandail rouuuuuuge!

Rosianne me lance un sourire exagéré, qui dévoile ses belles dents blanches et parfaitement alignées. Je vais devoir surveiller mes arrières pendant le match de basketball!

Mike est le dernier à arriver, mais personne ne se préoccupe vraiment de lui. Sauf moi… J'observe la façon dont il fait tourner le ballon sur le bout de son index. Rosianne intercepte le regard que je pose sur le mystérieux occupant du casier 137. Elle n'est pas contente. En fait, je serais morte dix fois si ses yeux avaient lancé des couteaux.

Décidément, elle n'est pas heureuse de me voir marcher sur son territoire !

Le prof approche en souriant.

— Marguerite, pour te souhaiter la bienvenue, je te nomme capitaine d'équipe aujourd'hui.

Hmmm, qui pourrais-je bien choisir en premier ?

7
Le premier choix

Mis à part les jumeaux Côté qui produisent chacun leur tour des bruits de pet avec leurs aisselles, le gymnase devient silencieux. Tous les regards sont rivés sur moi. Je les détaille un à un, savourant pendant quelques secondes le semblant de pouvoir duquel on vient de m'investir. Je comprends vite de quelle façon reconnaître les sportifs. C'est facile, ils trépignent sur place, impatients de passer à l'action. Les intellos reculent le long du mur. Je me serais jointe à eux, si je n'étais pas debout devant trente élèves qui attendent que je nomme une première personne. Le problème est que je ne connais pas leurs prénoms !

— Allez, on n'a pas toute la journée !

Rosianne tape du pied, agacée que je tarde à m'exécuter. Coiffée d'un chignon impeccable, elle porte des souliers blancs comme neige qui sentent encore le neuf, elle a des jambes fines, mais musclées. Elle est l'autre capitaine et, visiblement, son équipe est déjà toute formée dans sa tête. Je l'ai entendue discuter avec sa bande de chiens de poche. J'ai saisi quelques noms au passage, dont celui de Mike, qui faisait l'unanimité comme premier choix.

Je rehausse les épaules, décidée à faire un coup de théâtre. Un autre. Un de plus ou de moins, de toute façon, je suis déjà sur sa liste noire. Elle m'égorgera avec ses longs ongles.

— Mike !

Je m'attendais à une réaction, mais pas à ce point.

— La vache…

Un grognement sourd sort de la bouche de ma meilleure ennemie. Une avalanche de murmures traverse le groupe. Les mâchoires d'Emma et de Marilou sont en suspens. Même le prof en perd son latin.

Quoi? Finalement, c'était un mauvais choix? Il est nul avec un ballon et nous fera perdre cette partie disputée dans un cours pédagogique dont je me fous complètement?

Mike relève la tête, perplexe. Le ballon qu'il tenait entre ses mains passe sous son bras. C'est l'incompréhension totale sur son visage. Je ravale ma salive. Ce n'était peut-être pas une bonne idée…

Il s'avance d'un pas léger, les autres s'écartent pour lui céder le passage. Il tourne les yeux vers Rosianne lorsqu'il arrive à sa hauteur. Juste assez pour y lire toute sa fureur. Ça ne l'atteint pas, même que le mystérieux et indéchiffrable casier 137 sourit lorsqu'il se place derrière moi.

Mon hésitation à choisir les prochains joueurs ne dure pas longtemps. Mike se charge de me tirer d'embarras. Un à un, il me souffle discrètement le prénom des camarades qui se joindront à l'équipe. Je l'écoute, un peu sous le choc. «Il n'adresse jamais la parole à personne», m'a encore répété Emma avant le cours.

Eh bien!

Évidemment, Emma et Marilou font partie de notre équipe. Je ne comprends pas, chaque fois que je nomme quelqu'un, Rosianne pousse un soupir de mécontentement.

8
Le soutien-gorge perdu

Je ne trouve plus mon soutien-gorge. Enfin, la camisole qui sert à aplatir mes petits seins pointus. Je vide mon sac… savon, déodorant, serviette. Rien, il n'est plus à l'endroit où je l'avais mis tout à l'heure. Je fronce les sourcils. Bordel, je dois vraiment me changer. Le match de basketball a été éprouvant, mon t-shirt mouillé est collé sur ma peau. Beurk!

— Marg, est-ce que tu m'écoutes?

Emma est dans la cabine voisine. Je replace vivement mes articles, j'ai un chandail de laine plutôt épais, il camouflera ma poitrine pour le reste de la journée.

— Oui, oui, tu disais?

— As-tu quelque chose à te mettre sur le dos pour le bal?

Je passe une débarbouillette sous mes aisselles, y mets un peu de déodorant. *Fraîcheur garantie.* Bien sûr, c'était facile de faire la fanfaronne ce matin en disant que j'irais au bal, mais je n'avais pas pensé à ce que je pourrais porter. Pour moi, le mot «bal» rime avec robe à bretelles, sandales, cheveux dans le vent. C'est parfait en juin, mais en avril, avec les manteaux et la gadoue, c'est moins charmant. D'autant plus que ma chambre ressemble à un entrepôt en ce moment, avec des cartons empilés jusqu'au plafond.

— Sûrement, mais c'est le désordre total chez moi en raison du déménagement.

J'enfile mon chandail propre en vitesse.

— En passant, Marguerite, si j'étais toi, je ne m'approcherais pas trop de Mike Lambert, chuchote Emma.

Je m'immobilise, les cheveux en bataille devant mon visage.

— Pourquoi? que je demande prudemment, sachant très bien la réponse.

— Disons que c'est le «prospect» numéro un de Rosianne, elle lui court après depuis des mois. Ça n'aidera pas ta cause de te mettre sur son chemin.

J'ai envie de lui hurler à quel point je m'en moque! De toute façon, ma cause est perdue depuis la seconde où j'ai renversé de l'eau sur elle. Je l'avais dit à mes parents, aussi, que c'était difficile de se faire des amis! Bon, je sais, je fais exprès pour m'attirer des ennuis.

Je ramasse mes affaires, je veux partir d'ici avant de croiser Rosianne, justement. Mon équipe a battu la sienne 60 à 22. Une domination complète, rien pour améliorer son humeur. Marilou m'a subjuguée, c'est une vraie gazelle sur le jeu!

— Je meurs de faim, on se retrouve à la cafétéria?

Je ne connais pas encore beaucoup Emma, mais j'ai rapidement compris que c'est le genre de filles à prendre une éternité à se préparer. Facile à déduire, on n'a qu'à compter le nombre de fois qu'elle replace ses cheveux durant un cours. Une mèche à droite, trois à gauche, la frange coiffée sur le côté…

— D'accord, à plus ! me crie-t-elle du fond de sa cabine.

Je frôle les murs pour m'éclipser en douce. La porte grince lorsque je la pousse, j'accélère un peu. J'ai presque mis le pied dans le seau d'eau sale du concierge. Pas que je veuille faire la lâche, mais j'ai suffisamment de problèmes aujourd'hui. Ma fuite est presque réussie lorsque je tombe sur Mike à la sortie des vestiaires. Ses cheveux sont encore humides. Il s'arrête.

— Belle victoire.

Nous nous sommes échangé le ballon à quelques reprises. Son jeu était vif et précis. Il volait d'un coin à l'autre du terrain. Un simple coup de poignet et le ballon trouvait le panier. Aucune chance pour l'autre équipe, Mike était partout pour bloquer les lancers.

— C'est grâce à toi, tu as marqué la plupart des points.

Il allait ajouter quelque chose, mais une dizaine d'élèves bruyants envahissent le corridor. Il poursuit son chemin vers la sortie. Moi, je file à la cafétéria.

9

La soupe aux pois

J'ai un haut-le-cœur en mettant le pied dans la cafétéria. Les murs sont orange parsemés de pois verts. C'est affreux!

Il n'y a pas foule au comptoir pour commander notre repas. La plupart des élèves semblent avoir apporté leur lunch. C'est louche! Je regarde le menu. Après tout, c'est peut-être la journée du foie de porc qui fait fuir tout le monde.

Soupe aux pois.

C'est tout? Pas de deuxième choix? J'espère au moins qu'il y aura une tranche de pain bien beurrée. Et un gros gâteau au chocolat pour dessert! Sinon je vais devoir me rabattre sur mes barres tendres aux canneberges…

— Attention! Laissez passer!

Un fauteuil roulant fonce sur moi. En reculant, je fais presque tomber le plateau d'ustensiles pour éviter d'être bousculée. Le jeune garçon rit aux éclats. Son menton est plein de bave et ses bras bougent dans tous les sens en mimant des gestes imprécis.

La douleur dans mon bras me revient tout à coup lorsque j'aperçois qui pousse le fauteuil comme s'il s'agissait d'une voiture de course. Un des jumeaux Côté. Celui avec la casquette. Olivier?

— Eh! Désolé pour le crayon truqué, c'était une petite initiation pour te souhaiter la bienvenue.

— Ça va...

Il prend un plateau.

— Veux-tu de la soupe, Antonin?

Antonin fait signe que oui en tapant des mains. C'est attendrissant de les voir ensemble. Je saisis le bol que la dame au chapeau blanc me tend. Ça sent très bon, même si la couleur est douteuse. Manque de chance, le dessert n'est qu'un simple Jell-O avec deux biscuits secs. J'empoigne un énorme muffin aux framboises pour accompagner le tout.

— Tes parents ont acheté l'épicerie, c'est ça?

Je le regarde avec un air signifiant «comment tu sais ça, toi?».

— Tout se sait dans une petite ville comme la nôtre, dit-il en riant. As-tu tes sous, Antonin? Il faut payer, maintenant.

Il reporte son attention sur moi en remontant vivement ses manches jusqu'à ses coudes.

— À vrai dire, je t'ai vue sortir de chez toi, ce matin. J'habite la maison juste à côté.

Non!

— Eh! Regarde là-bas!

Je tourne la tête pour suivre la direction de son index. D'un mouvement rapide, son doigt touche mon nez.

— Je t'ai eue!

Encore son petit rire de voyou.

— Ah !

J'ai du ketchup plein le nez. J'allonge le bras pour prendre une serviette.

Méfie-toi des jumeaux Côté, hein ?

Ils sont mes nouveaux voisins. Quel cauchemar !

10
Le coup de cœur d'Emma

Le Club des Girls s'amène à ma table. Emma et Marilou s'installent avec leurs boîtes à lunch bien garnies par maman. Océane suit de près avec un sac de Doritos, une barre Mars et un Pepsi. Je suis contente de les voir arriver, j'ai reçu quelques bouts de gomme à effacer derrière la tête, mais je n'ai pas osé me retourner pour savoir d'où ils provenaient.

— Ouf, tu es courageuse de manger leur bouffe, dit Marilou en plissant le nez au-dessus de ma soupe.

J'avale une cuillérée chaude, et elle est franchement délicieuse.

— Vous devriez vous y risquer, c'est très bon! Presque aussi succulente que celle de ma grand-mère Lafleur.

— Ouais, sûrement…, maugrée Océane. On te regardera courir aux toilettes dans une heure parce que tu auras mal au ventre!

Je lève les yeux au ciel. J'imagine qu'elle trouve meilleur pour la santé de se nourrir au chocolat et aux croustilles. C'est mauvais pour la peau, ça donne des boutons!

Sans prévenir, un garçon s'assoit bruyamment sur la chaise, près d'Emma. Qui est-il? D'où arrive-t-il?

— Allô, ma jolie!

Ses cheveux sont rasés sur les côtés, mais ils sont plus longs sur le dessus du crâne. Il a une mâchoire bien droite, arbore un anneau à l'oreille et un tatouage sur l'avant-bras. Il roule les épaules comme une vedette de cinéma. Il se prend pour Taylor Lautner. Une belle gueule de fendant. Un *bad boy*! Il est plus vieux que nous. En cinquième secondaire, au moins. Il empeste la cigarette. Eurk!

Ma nouvelle amie est complètement hypnotisée par lui. Elle se met à sourire comme une idiote. Donnez-lui de l'eau, quelqu'un! Mieux, une claque!

Il glisse un doigt sur la joue rose et innocente d'Emma.

— Tu n'oublies pas ce que je t'ai demandé pour vendredi?

Le petit bum essaie de prendre une voix sensuelle. OK, je l'avoue, c'est réussi. Pas étonnant qu'Emma reste sans mot. J'entends Marilou soupirer à côté de moi. Emma agite la tête. On dirait un robot. La poupée de ma cousine de quatre ans fait la même chose quand on appuie sur le bouton *On*.

— Super, t'es fine.. On se voit ce soir?

Emma bave sa vie en lui baragouinant un «À plus tard». Elle est complètement déconnectée de la réalité. Un zombie! Le menton au creux de sa main, elle le regarde donner un coup de poing sur l'épaule d'un de ses copains, quelques tables plus loin. Le genre de gars ami avec tout le monde. Le roi qui règne sur son royaume!

— C'est qui, lui?

Marilou croque dans une feuille de salade.

— C'est William, le dernier coup de cœur d'Emma.

— Un autre?

Depuis le matin qu'elle me pointe ce qu'il y a de plus beau dans l'école: Mike, le prof de gym, et maintenant William. Océane ricane, la bouche pleine de Doritos au fromage. Ça doit être étrange, la sensation de manger avec un anneau à la lèvre…

— Emma a un nouveau coup de cœur tous les jours, Marguerite. Tu vas t'y faire.

— Il m'a invitée à aller au bal avec lui! s'excite mon amie en replaçant nerveusement ses cheveux.

Marilou lance un regard en coin à «super William», qui parle très fort pour être bien certain de se faire entendre de la terre entière. Moi je suis des yeux Olivier – le jumeau avec la casquette – qui prend la cafétéria pour une piste de course en roulant à vive allure avec le fauteuil d'Antonin.

— Et ton Adonis, il veut que tu fasses quoi, vendredi?

Emma baisse la tête, chassant de sa main les miettes de pain de son sandwich au jambon qui tombent sur le plancher déjà sale.

— Rien d'important. Ah! Arrête, Marilou, je sais ce que tu en penses, alors pas besoin de jouer à la mère avec moi.

— Je ne lui fais pas confiance, c'est tout.

Les deux filles échangent un regard défiant. Je termine mon repas sans m'en mêler. La soupe aux pois était bonne, mais j'ai encore faim. C'est le silence autour de la table. Océane a remis ses écouteurs, Marilou mange en gardant les yeux fixés sur ses œufs à la coque. Je prends mon muffin aux framboises que je gardais pour le dessert. Il est énorme, et le sucre fondu sur le dessus me donne l'eau à la bouche.

— Elle a raison, Emma, tu devrais te méfier de lui, ajoute Océane un peu trop fort à cause de la musique qui emplit ses oreilles.

D'un mouvement brusque, Emma empoigne sa boîte de jus aux raisins. Elle n'est pas contente de nous voir douter de son beau William. Je ne dis rien, mais moi non plus il ne m'impressionne pas vraiment. Je n'ai jamais aimé les garçons qui se croient beaux. Pire, lorsqu'il a quitté notre table, je l'ai vu s'approcher de deux autres filles de la même façon qu'il a abordé Emma. Je serais curieuse de voir sa réaction si Rosianne mettait les pieds ici.

D'ailleurs, parlant d'elle, je ne l'ai pas vue de toute l'heure du dîner. C'est louche.

Je mets le muffin près de ma bouche grande ouverte et je mords dedans. Ark! Je recrache le morceau, sous le regard étonné des filles. Elles retiennent un fou rire devant ma grimace.

— Il n'est pas bon? demande Océane.

— Non!

Je me suis trompée, ce n'est pas un muffin aux framboises, mais aux canneberges! Je déteste les canneberges… et là, c'est trop dans la même journée.

11
Les malheurs de Marilou

Je passe par les toilettes avant de retourner en classe. J'essaie de me convaincre que c'est pour boire une gorgée d'eau, car j'ai mon muffin sur le cœur. Même la gomme aux fruits tropicaux qu'Océane m'a offerte n'enlève pas le goût amer qui me reste coincé dans la gorge.

En réalité, je me sauve de Rosianne-la-pas-fine, qui vient justement en sens inverse. Je suis une vraie mauviette, mais je n'ai pas envie de déclencher une Seconde Guerre mondiale alors que j'ai la langue irritée par les canneberges. Ces petits fruits sont très acides! En plus, la chipie est entourée de son clan, mais aussi du beau William qu'Emma aime tant. Il la tient par la taille et a son sourire niais!

— Ce n'est pas juste…

Je ralentis le pas. Des sanglots! Les murs des toilettes sont très échos, car on y perçoit le moindre bruit. Même ceux les plus répugnants qu'on ne veut pas entendre! Ça m'a toujours écœurée d'entendre les autres faire pipi. Curieuse, je rentre dans la salle de bain.

Je pince les lèvres en voyant Marilou assise sur le comptoir, entre deux lavabos. Ses jambes sont remontées sur sa poitrine.

— Ça va, Marilou?

Je mords l'intérieur de ma joue. Question idiote! Elle renifle un bon coup en essuyant le coin de ses yeux bridés avec ses mains enfouies dans ses manches.

— Non! C'est épouvantable…

Je m'approche en espérant que la fille qui vient de s'enfermer dans une cabine ne se mêle pas de la situation. Marilou lève des yeux désespérés sur moi.

— Mes parents ne voudront pas me laisser aller au bal! Ils sont tellement… bouchés!

Elle passe une main rageuse dans ses cheveux en reniflant encore. Je lui tends un papier brun qu'on utilise pour s'assécher les mains. Elle souffle dedans. Je n'ai pas encore parlé à mes parents concernant le bal, mais il serait étonnant qu'ils disent non à une activité qui se déroule à l'école.

— Pourquoi donc? Nous serons entourés de profs pour nous surveiller!

— Je sais! Ils ne veulent rien entendre. As-tu vu comment je suis habillée? demande Marilou en pointant ses vêtements d'un air découragé.

Un chandail blanc à col roulé, des jeans simples. Cela contraste joliment avec son teint un peu foncé, mais c'est très classique.

— Il n'y a que ces fichus chandails dans ma garde-robe. Pas question qu'on voie un bout de peau, ce serait trop dangereux! Ils sont vieux et ne comprennent rien à rien!

C'est plus fort que moi, je la trouve mignonne. Oui, tout le monde trouve ses parents trop vieux. Imaginez, mon père passe ses dimanches après-midi à regarder le golf à la télé. Ça, c'est vieux!

— Arrête de rire, s'écrie Marilou en me tapant le bras, c'est vrai! Ils ont plus de soixante ans, ils m'ont adoptée sur le tard, et depuis je suis un petit paquet précieux qu'il ne faut surtout pas toucher. Je n'ai pas le droit de sortir le soir après le souper, je ne peux pas avoir d'iPod, je n'ai même jamais eu l'autorisation de dormir chez une amie. C'est l'enfer, je te dis! Alors un bal… c'est perdu d'avance!

Je hoche la tête doucement, compatissant à la situation.

— Il y a sûrement un moyen de les convaincre, non?

Elle secoue ses longs cheveux noirs, qui retombent sur ses épaules.

— Tu ne connais pas mon père, c'est un général d'armée en personne. Un directeur d'école à la retraite. Il ne veut même pas discuter! Julien m'a invitée au bal, je lui ai dit oui… Tu comprends, je veux vraiment y aller avec lui. Il est gentil et je crois qu'il m'aime bien.

Sa tête bascule en arrière et cogne le miroir taché de gouttes d'eau séchées. Je ne sais pas quoi lui dire, mais elle fait vraiment pitié à voir.

— Il était déçu ce matin quand je lui ai dit que je n'étais plus certaine d'aller au bal. Il se trouvera une autre fille pour l'accompagner, c'est sûr! À moins que… J'ai une idée!

Elle saute sur ses pieds.

— Quoi?

— Tu vas m'aider!

Pourquoi ai-je l'impression que cette journée ne finira jamais?

12
La bonne idée de Marilou

Marilou me tire par la main entre les élèves qui regagnent mollement leur casier. La cloche va sonner d'une minute à l'autre et personne n'a envie de s'asseoir à sa table de travail pour y faire des mathématiques.

— On va être en retard, Marilou !

C'est moi qui ne pourrai pas aller au bal si on m'inflige une retenue à ma première journée d'école. Nous rejoignons Emma, qui se regarde dans le miroir fixé par un aimant à la porte de son casier. Elle arrange ses cheveux. Encore une fois. Elle en fait une fixation ou quoi ?

— Emma, j'ai eu une idée ! lance Marilou en me lâchant enfin.

Ses ongles, pourtant courts, ont laissé des marques sur ma peau tellement elle me serrait fort la main !

— Ah oui ? C'est nouveau, ça, répond Emma en esquissant une grimace coquine à l'endroit de la belle Vietnamienne.

— Marguerite pourrait m'aider à convaincre mon père de me laisser sortir. Elle est nouvelle et adorable. Le genre de bonne fille que tous les parents désirent avoir ! Je pourrais lui dire qu'elle a besoin d'aide pour défaire ses boîtes vendredi soir ? Quand il est question de travailler, mon vieux est toujours content.

Je plisse les yeux, pas certaine de vouloir être mêlée à ses manigances. J'ai déjà eu assez d'ennemis pour aujourd'hui.

— Euh… je ne sais pas, là.

— Attends, reprend Emma en réfléchissant. Il faut que ça soit plus dramatique que ça. Tu présentes Marguerite à tes parents. Tu les informes que sa mère est très malade et que Marg a besoin de se changer les idées. Surtout qu'elle ne connaît personne ici et qu'en plus elle est très timide ! Dis-lui que tu l'amènes au cinéma ! Tu pourras assister au bal pendant quelques heures…

Le visage de Marilou s'illumine.

— C'est bon, ça, de dire qu'elle est timide ! Les parents adorent les ados qui n'osent pas faire de mauvais coups ! Est-ce que ça peut marcher ? Non, mon père, s'il accepte, voudra venir nous reconduire et nous chercher…

Je suis surprise ; j'avais cru voir, en faisant mes recherches sur Internet, qu'il n'y avait pas de cinéma ici.

— Il y a un cinéma à l'Île-Ville ?

Ce serait une bonne nouvelle ! Quoique j'en doute…

Les filles me regardent, bouche bée. Je comprends vite la naïveté de ma question.

— Non, vraiment pas, m'annonce Emma.

Il me semblait aussi que c'était impossible…

— Il faut compter au moins trente minutes de voiture pour voir un film ! Un autobus peut faire le trajet le vendredi soir pour ceux qui veulent aller au cinéma. Mon père n'acceptera jamais de me faire monter là-dedans. Du monde, des étrangers, c'est É-POU-VAN-TA-BLE ! ajoute Marilou en colère.

Je me plains souvent de mes parents pour toutes sortes de raisons, mais au moins ils ne sont pas trop sévères. Seulement quand il est question de ranger ma chambre, de faire mon lit. Des trucs ridicules comme passer l'aspirateur une fois par semaine ou faire la vaisselle. En échange, ils me laissent jouer sur mon ordinateur et ne se préoccupent pas du tout de ma garde-robe.

Je capoterais si j'étais à la place de Marilou.

— OK, je veux bien t'aider.

Elle se met à sautiller comme une gamine. Elle tourne sur elle-même, fait la danse du soleil.

— Tu ferais ça ? Merciiiiiii ! Tu es trop géniale !

Océane traîne ses Converse jusqu'à nous au moment où Marilou chante de joie en tapant des mains. Elle mâche toujours sa gomme à pleine bouche.

— Qu'est-ce qui se passe ici ?

— Je vais aller au bal !

Elle est tellement au comble du bonheur que ça m'effraie. Je veux bien essayer de jouer son jeu, mais je n'ai pas encore des pouvoirs hypnotiques pour forcer ses parents à la laisser aller au bal.

— Euh… ce n'est pas certain que…

Elle me coupe la parole.

— Passe chez moi après l'école, je vais te présenter à mes vieux. Ils ne pourront pas te résister !

Merde !

13
Où va Mike Lambert?

Je cours jusqu'à mon casier pour prendre mon sac. Cela m'est étrange de sentir mes seins nus sous mon chandail. Ce n'est pas très confortable. Je me demande vraiment où est passé mon soutien-gorge...

J'accélère un peu l'allure en contournant les élèves qui se dirigent en classe. Plus que deux minutes avant que la cloche ne retentisse, et je dois fouiller parmi mes articles scolaires pour trouver le livre de géo. Il ressemble à quoi, celui-là? Est-ce le bleu ou le vert?

Thomas – le jumeau sans casquette – me dépasse à toute vitesse. C'est à son tour de pousser Antonin.

— Regarde, Antonin, on va plus vite que Marguerite!

Le garçon brandit les bras dans les airs en s'esclaffant. Il rit encore plus fort lorsque Thomas fait basculer son fauteuil sur les deux roues arrière. L'autre jumeau arrive non loin de moi. Marilou m'a expliqué qu'Antonin souffre de paralysie cérébrale causée par sa naissance prématurée. Il ne pesait qu'un demi-kilo! Heureusement, il est aussi brillant que n'importe quel ado studieux. Grâce aux jumeaux, ses cousins qui se font un devoir de s'en occuper, Antonin est traité comme les autres, avec plus de soins, évidemment. Il n'échappe cependant pas aux railleries des garçons.

— Ça va, Marguerite? As-tu besoin d'aide pour trouver ton local?

Méfiante, je le regarde de biais sans m'arrêter. Je n'y peux rien, l'avertissement «Méfie-toi des jumeaux Côté» clignote sans cesse en rouge dans mon esprit. On se demande pourquoi!

— Merci, ça va aller.

Il serait capable de m'amener dans une autre classe juste pour être drôle. Il est près de moi depuis trente secondes et, déjà, j'analyse tous les mauvais tours qu'il pourrait me jouer sur-le-champ. Coller, par exemple, un poisson dans mon dos afin que j'aie l'air ridicule pour le reste de la journée. Me faire un croc-en-jambe pour me voir trébucher. Me lancer un ballon d'eau sur la tête.

Malgré tous les scénarios rocambolesques que j'ai échafaudés dans ma tête, rien de tout cela ne se produit. J'arrive essoufflée à mon casier. Je tire sur la poignée de métal froid, puis je fouille dans les livres que la secrétaire m'a remis ce matin. «Tiens, bienvenue parmi nous et bonne chance!» m'a-t-elle souhaité en les déposant dans mes bras. Une pile de trente centimètres de haut qui pèse une tonne. Ils se ressemblent tous, sauf la couleur. J'ai chaud! Surtout, je ne veux pas être en retard.

— C'est lequel, celui de géo, bordel!

— C'est le vert, là.

Je sursaute, puis relève la tête. Mike Lambert passe une main dans ses cheveux en désordre avant de me pointer un livre au fond de ma tablette. Il est trop calme pour un gars qui doit être en classe dans moins d'une minute.

— Super, merci!

Je le glisse dans mon sac en vitesse. Est-ce que la cloche a sonné ? Mais qu'est-ce qu'il fait, lui, à enfiler lentement son manteau comme si la journée était terminée ?

— Tu ne vas pas à ton cours ?

Mike enfonce ses mains dans ses poches.

— Non, j'ai mieux à faire que de perdre mon temps en géo.

Ah !

— Mike Lambert, où penses-tu aller comme ça encore ?

Oh ! Il va se faire gronder par monsieur Mercier, le directeur. Il a une grosse voix et doit peser cent kilos. Ses sourcils sont froncés, il n'est pas content. Mike part en courant vers la sortie. Il me crie par-dessus son épaule :

— Je dois y aller !

Il disparaît à l'extérieur en remontant le capuchon sur sa tête. Monsieur Mercier le regarde s'éloigner en secouant la tête.

— Qu'est-ce qu'on va faire de lui ?

Je ne sais pas pourquoi, mais je reste là sans bouger, trop surprise par ce qui vient de se produire. J'aimerais bien savoir où il va, le mystérieux occupant du casier 137 !

— Allez, va en classe, toi, la cloche a sonné !

Je n'avais pas remarqué que le directeur s'était tourné vers moi. J'accroche mon sac à mon épaule, marchant la tête basse devant l'homme obèse. Il ne doit pas faire beaucoup d'exercices. Une boîte de beignes se trouvait sur le coin de son bureau ce matin quand je suis passée chercher des papiers. Ses yeux font peur. Je marche comme une petite souris qui veut fuir un gros matou.

— Euh, oui, oui, monsieur. J'y vais.

14
La généreuse Rosianne

J'aperçois un chemisier blanc, de longues jambes… Je suis soulagée de reconnaître Emma. Elle m'attendait au bout du couloir pour me guider vers la classe. Je n'ai jamais été aussi heureuse de toute ma vie de voir quelqu'un. Tous ces murs de la même couleur, toutes ces portes identiques me faisaient paniquer. Je me serais perdue !

— Merci de m'avoir attendue !

Elle attrape mon poignet.

— Qu'est-ce que tu faisais, coudonc ?

Nous courons ensemble, mais pas à la même vitesse. Je touche ses talons à chaque enjambée. Emma prend son air angélique de fille modèle quand nous franchissons le seuil de la porte du cours de géo. Madame Bournival lève un sourcil.

— Vous êtes en retard, les filles.

J'évite de tourner la tête vers le groupe déjà en place. Rosianne doit encore avoir son sourire de petite peste aux lèvres.

— La nouvelle était perdue, dit Emma, innocemment, je l'ai aidée à trouver le local.

— Ah ! c'est vrai. Marguerite Lafleur, c'est ça ?

— Ouais, c'est ça.

Merci de rappeler mon horrible nom à tout le monde ! La prof est à ce point barbouillée de maquillage qu'elle ressemble à Barbie. Le look de la parfaite enseignante *sexy* qui ferait un beau couple avec le prof de gym. Elle a l'air sympathique, quand même.

— J'avais une note à propos de ton arrivée ce matin. Merci, Emma, c'est gentil de t'occuper d'elle.

Je me sens comme un bébé qu'on doit faire garder. Je me serais débrouillée sans l'aide de qui que ce soit, vous savez ! Bon, enfin, peut-être…

Emma me pousse dans l'allée pour m'aider à trouver une place où m'asseoir. Il y a quelques tables vides, dont une qui doit appartenir à Mike. C'est étrange qu'il ne soit pas là. Est-ce qu'il sèche souvent ses cours ?

— Madame…

Toutes les têtes se tournent vers le fond de la classe. Rosianne se tient droite et me regarde presque gentiment. C'est bien essayé, mais ça sonne faux.

— Oui, Rosianne ? dit madame Bournival en attendant la suite.

L'absence de Mike me fait soudainement perdre pied. Il est le seul qui aurait pu bondir à ma défense, si la chipie osait me sauter à la gorge.

— Ça me ferait plaisir d'accueillir Marguerite dans mon équipe pour notre travail de fin d'année.

Mes oreilles grincent, mes cheveux se dressent sur la tête et le mauvais goût de canneberge me revient en bouche. Rosianne me gratifie d'un sourire hypocrite qui semble sincère, mais qui cache toute la rage que je lui procure depuis ce matin. Elle ne m'aime pas, c'est clair! Pourquoi cet élan de générosité? Il y a anguille sous roche…

Emma cesse de respirer. Moi aussi, je crois. Faire un travail avec Rosianne et sa bande? JAMAIS!

Madame Bournival incline la tête comme une maman fière de sa fille.

— Parfait, ma belle Rosianne. C'est noté.

Emma lève la main pour protester. Je suis prête à courber les genoux pour la supplier de trouver une autre option, à me taper tout le travail seule, s'il le faut, mais faire équipe avec Rosianne Blais, *no way*!

La prof agite les bras pour nous inciter à nous asseoir.

— Allez, les filles, on a assez perdu de temps avec votre retard! Ouvrez votre livre à la page 60, aujourd'hui, nous étudierons le climat en Antarctique.

— Mais…

Zut!

Découragée, je me traîne jusqu'à une table au fond de la classe. Quelle journée! Rosianne me souffle au passage avec un rire à donner des sueurs dans le dos:

— Bienvenue à l'Île-Ville. Je t'ai à l'œil.

15
La liste d'Emma

Je me laisse tomber au pied du casier d'Emma. Le Club des Girls est solidaire autour de moi.

— Je vais parler à madame Bournival, il y a sûrement moyen de te faire changer d'équipe.

— Rosianne a une idée derrière la tête pour avoir fait ça, ajoute Marilou.

Je m'en doute, figure-toi donc ! Je n'ai rien écouté du cours de géo. Au diable l'Antarctique ! Tous les scénarios d'horreur ont déroulé dans ma tête en m'imaginant devoir travailler avec Rosianne. Elle et moi à la même table à débattre du réchauffement de la planète. La glace et le feu, oui !

Marilou s'adosse au casier à côté de moi en allongeant ses jambes devant elle.

— Elle prépare quelque chose. On va la surveiller de près.

Le paquet de gomme aux fruits tropicaux d'Océane passe de main en main autour de notre petit cercle. Je préfère croquer dans ma pomme. Le jus éclabousse jusqu'à Emma, en face de moi.

— Désolée !

Elle s'essuie en grimaçant. Du jus de pomme dans un œil, ça picote.

— Bon, c'est bien triste pour le travail en groupe, mais nous avons plus urgent à faire !

Parce qu'il y a quelque chose de plus urgent que l'obligation de faire équipe avec Rosianne la princesse pour un travail monotone ?

— On a un bal vendredi, et Marguerite n'est pas accompagnée. J'ai fait une liste... attendez.

Je secoue la tête. En effet, un bal est beaucoup plus important que mes malheurs avec l'ennemie ! Que je risque à tout moment de me faire planter un poignard dans le dos n'est pas capital ! Ma bouchée de pomme reste coincée dans ma joue.

— Je ne suis pas obligée d'être accompagnée. Tu l'es, toi, Océane ?

Elle n'a qu'un seul écouteur à son oreille, elle nous a donc entendues. Un rire secoue d'ailleurs ses épaules.

— Pas question ! Les garçons ici ne m'intéressent pas... Trop jeunes, trop immatures.

Le ton de sa voix est bas et pas très convaincant. J'ai l'impression qu'Océane se raconte des histoires. Peut-être que les garçons l'ignorent et que ça lui fait de la peine ? Son look de rockeuse est un peu démodé, mais elle est une bonne fille. Elle se sert de son apparence pour s'affirmer, c'est probablement une artiste en crise d'identité.

— Bon, alors je peux faire comme Océane et aller seule au bal.

Ma grand-mère me répète sans arrêt de sa belle voix sage : « Vaut mieux être seule que mal accompagnée dans la vie. » Emma n'est pas de cet avis, elle sort son iPod de sa poche.

— J'avais noté quelques noms encore disponibles, dit-elle en déplaçant son pouce sur l'écran. Tiens, il y a Dany.

— Non !

Les filles me regardent, étonnées.

— Tu ne le connais même pas ! lance Marilou. C'est vrai qu'il est un peu étrange, mais…

— J'ai un oncle pas très gentil qui s'appelle Dany, que je précise. Il est complètement idiot. Chaque fois que je le voyais quand j'étais petite, il faisait semblant de brûler mes mitaines dans le four. Je prenais tous les détours possibles pour ne pas le croiser. Juste l'idée d'avoir à prononcer son nom toute la soirée, ça ne me tente pas. Je m'excuse, Dany, tu es peut-être bien sympathique, mais on passe à un autre appel.

Emma glisse son pouce sur l'écran de son appareil en mordillant sa lèvre supérieure.

— Christian est libre, mais on l'oublie, il sent la transpiration en plein jour, imagine après avoir dansé ! Qui d'autre… Jonathan Lemieux ? demande-t-elle en consultant Marilou et Océane du regard.

Personne ne répond. Pourquoi ?

— Peut-être, dit enfin Marilou.

Emma se gratte le menton en réfléchissant. Puis elle reprend son iPod d'un geste décidé.

— Il y a sûrement mieux. Mike est encore libre, mais…

Elle ne termine pas sa phrase, ça m'intrigue. Je gruge mon cœur de pomme.

— Mais quoi?

Emma hausse les épaules.

— Il ne vient jamais aux activités de l'école.

16
Retour de l'école

Chaque pas que je fais éclabousse l'arrière de mon pantalon. Ça, c'est sans parler des voitures – des camions! – qui roulent à une vitesse folle et qui m'arrosent à tout coup. Eh! On est dans un village, ici, il y a des gens qui marchent sur le trottoir! Disons un semblant de trottoir, à moitié enseveli sous la glace, sous l'eau et sous la neige. J'ai encore les pieds humides de ce matin.

La rue est déserte, les élèves sont partis depuis un moment déjà. La prof de mathématiques m'a forcée à rester après le cours pour m'expliquer le programme. Elle y a mis une heure! Pire, elle m'a donné des exercices supplémentaires à faire pour rattraper mon retard. Comme si j'avais le temps de faire ça…

J'enfonce mon nez dans le collet de mon manteau. J'ai froid. Il n'y a pas de transport en commun à l'Île-Ville. Ici, les élèves du secondaire se déplacent en autobus jaunes. C'est charmant. Par contre, j'habite juste assez loin pour me geler les fesses en marchant, mais encore trop près de l'école pour avoir le privilège de monter à bord du monstre sur roues. Dommage, ça m'aurait rappelé de bons souvenirs!

Je dois passer chez moi avant de rejoindre Marilou. Première phase du plan d'attaque: séduction de ses vieux, comme elle le dit si bien. Je les imagine les cheveux blancs et la peau toute ridée. Elle est drôle quand elle parle de ses parents. Je souhaite que son projet réussisse, elle veut tellement aller au bal. Mais pour l'instant, j'ai besoin de mes bottes d'hiver. Je tiens à mes orteils !

J'espère que la compagnie de télécommunications est venue activer le réseau Internet à la maison. Je dois parler à ma *best*. TOUT DE SUITE. Elle m'avait dit que mon déménagement, ma rentrée dans ma nouvelle école se passeraient bien. Elle n'a pas idée de ce que j'ai vécu aujourd'hui. Au pire, j'apporterai mon iPod à l'école demain, il paraît que le réseau n'est pas terrible, mais c'est mieux que rien.

Mes parents avaient raison, c'est vrai que c'est beau, le fleuve, même s'il est encore gelé. Je respire un bon coup. Une deuxième fois. Rien. Ça ne sent rien de particulier. L'air frais, c'est tout. Les maisons sont jolies aussi. Des toits en pignons, de longs balcons, de grands terrains. Je croise un salon de coiffure. Une dame se fait mettre des bigoudis sur la tête. Trois enfants jouent sur une montagne de neige un peu plus loin avec un chien.

Ce qui me frappe le plus, c'est l'absence de bruit. On perçoit le son d'une voiture de temps en temps, sans plus. J'arrive à entendre le vent, les branches des arbres grincer. C'est calme.

— Attention, Marguerite !

Une boule de neige éclate derrière ma tête et s'émiette dans mon manteau. Dans mon cou !

Calme, je disais ?

Les jumeaux Côté sont prêts pour la guerre, tenant une autre balle de neige entre leurs mains. Je lâche un cri de fille qui vient de voir une araignée et je me mets à courir comme une débile.

Ils ne m'auront pas, les petits chenapans. Je dis «petits», mais ils sont très grands. Leur nouveau missile m'atteint les mollets. Heureusement que l'on ne compte qu'une voiture toutes les dix minutes ici, je peux donc traverser la rue en vitesse et grimper l'escalier qui mène chez moi.

La dernière balle de neige atterrit sur la porte, que je referme.

— Maman, c'est moi !

Je lance mon sac dans un coin. Il y a des boîtes partout. Mon père veut peindre les murs avant de mettre les choses en place. Cependant, mes parents ne s'entendent pas sur la couleur. À ce rythme-là, nous serons encore dans le désordre à Noël prochain. La voix de ma mère me provient de la cuisine.

— Marguerite, combien de fois je t'ai dit de ne pas claquer la porte ?

J'ai les pieds mouillés. J'ai soif, j'ai faim, et je veux savoir si le WiFi est activé ! Rien d'autre ne m'importe ! Je me précipite sur l'iPad au coin de la table, où ma mère a le nez plongé dans ses papiers. Merde, pas de signal !

— Le réseau n'est pas encore en fonction ?

Je suis déçue, je voulais écrire à Joanie pour lui raconter les dernières nouvelles ! Je prends une banane dans le bol à fruits sur le comptoir.

— Tu pourrais aussi me dire bonjour. As-tu passé une belle journée ?

Ma mère ne lève pas les yeux de ses dossiers. Avec l'achat de l'épicerie, la paperasse s'accumule sur notre table de cuisine.

— Hum hum…

— Est-ce que tu t'es fait de nouveaux amis ?

— Ouais. Il y a un bal vendredi soir, je peux y aller ?

Je pose la question pour la forme, mais je connais déjà la réponse. Ma mère dépose son crayon et redresse enfin la tête.

— Un bal ? C'est *cool*, ça.

Je roule des yeux. Ma mère veut montrer qu'elle s'intéresse à moi, à ce que je fais. Elle essaie d'être *cool* en utilisant nos expressions. Ce n'est pas très beau dans sa bouche.

— En passant, maman, les barres tendres aux canneberges, là…

— Quoi ? lance ma mère en fronçant les sourcils.

— C'est dégueulasse !

J'attrape mon iPod.

— Bon, je vais chez une fille de l'école. Et tenter de trouver un réseau sans fil quelque part dans cette ville !

17
Le sentier qui fait peur

«Devant chez toi, il y a un sentier pour les raquettes et le ski de fond. Il est fermé à ce temps-ci de l'année. Au pire, tu rencontreras un raton laveur. Ma maison est tout au bout. Elle a un toit jaune et un garage double. C'est un grand raccourci, tu y seras en deux minutes», m'avait indiqué Marilou.

Je ne suis certainement pas au bon endroit, car je marche au moins depuis trente minutes et je ne vois pas l'ombre d'un toit jaune à l'horizon. Que des arbres et de la neige. Des branches, des oiseaux… mais pas de raton laveur. Tant mieux. Le soleil commence à descendre, il fait un peu plus froid, je devrais rebrousser chemin. Pour revenir chez moi, je n'aurai qu'à suivre mes traces.

Cric-crac.

Quel est ce bruit?

Je me colle à un tronc d'arbre, l'œil aux aguets. Est-ce qu'il y a des ours par ici?

Des loups?

Des fantômes?

Non, Marilou a dit qu'il n'y avait que des ratons laveurs.

Cric-crac.

J'aperçois la silhouette d'un être humain sur la droite. Quelqu'un qui fait une randonnée ? Les jumeaux Côté qui m'ont suivie pour me jouer un autre mauvais tour ? Un maniaque ?

— Qui est là ? OK, Olivier et Thomas, si vous vouliez me faire peur, c'est réussi !

— Je ne voulais pas t'effrayer.

Un garçon avec une tuque sur la tête et des raquettes aux pieds me fixe. Je reconnais ses yeux bleus.

— Mike ?

Il dépose le seau qu'il tenait entre ses mains et avance jusqu'à moi en enjambant quelques branches tombées au sol.

— Tu es plutôt loin du village, ici. Qu'est-ce que tu fais ? C'est facile de se perdre quand on ne connaît pas la place. Et avec un froid pareil, c'est risqué !

Il retire ses gants à l'aide de ses dents. Il me les tend dans un mouvement rapide.

— Tiens, réchauffe tes mains, elles sont rouges.

Je baisse la tête. Mes doigts sont engourdis. Je n'avais même pas remarqué ce détail. Mike enlève ses raquettes qu'il passe sous son bras, puis s'enfonce dans le sentier.

Il ne dit rien, mais je comprends que je dois le suivre.

18
Le secret de Mike

— Tu allais où, comme ça?

Mes doigts, maintenant au chaud, sont un peu doulou-reux car ils dégèlent doucement. Mike a de grandes jambes, mais il essaie tout de même de marcher à mon rythme. Malgré cela, je n'arrive pas à le suivre, mes pieds s'enfoncent dans la neige à chacun de mes pas. Les siens aussi, mais ça ne semble pas le ralentir pour autant. Il se déplace sans effort alors que mon cœur bat vite et que ma respiration est courte. Une chance que j'ai mis mes bottes d'hiver! Je dois dire adieu à mes bottillons très *cool* dans cette ville!

Mike attend patiemment ma réponse pendant que je pense à mes bottillons. D'un sourire timide, je finis par lui répondre.

— Chez Marilou…

Marilou qui, déjà? Mike me retourne un sourire en coin.

— Ah! Elle t'a recrutée dans le club des nouvelles.

— Comment tu sais?

— Elles font toujours ça.

Il repousse quelques branches qui bloquaient le sentier. Mike est décidément beaucoup plus à l'aise dans un bois entouré d'arbres que dans une classe entouré de livres et de crayons.

— Je vais te montrer où elle habite. Tu as fait tout un détour.

J'allais dire que je me croyais sur le bon chemin, que j'avais noté correctement les indications de Marilou, mais je me tais. Mike n'est pas le genre à entretenir une conversation sur des sujets banals. Encore moins sur un club de girls ou un bal. Je suis déjà étonnée qu'il me parle tout court. Je me sens ridicule avec ses gros gants dans les mains. Je marche toujours aussi péniblement derrière lui. Je ne sais pas quoi lui dire, mais j'aimerais bien en savoir un peu plus sur cet énigmatique casier 137. Puisqu'il ne semble parler à personne d'autre qu'à moi, pourquoi ne pas saisir l'occasion ?

— Tu les connais bien ? Je veux dire… les filles du club ?

Ah ! Marguerite, tu n'as rien trouvé de plus intelligent pour engager la conversation ? Demande-lui la différence entre un sapin et une épinette, quelque chose qui est dans son élément.

— Bah, pas vraiment, comme tout le monde, répond-il en haussant les épaules.

OK, j'ai saisi, il n'a pas envie de discuter. Surtout pas de trucs de filles. Je le comprends, je m'ennuie à mourir quand un garçon me parle de football. Je vais me contenter de marcher avec lui. Il est interminable, ce sentier perdu au milieu de nulle part. J'étais vraiment rendue loin dans la forêt. Mike se penche pour ramasser un bâton par terre, qu'il frappe contre un arbre pour y faire tomber la neige.

— Marilou et Emma sont arrivées en début d'année. Ce n'est pas facile de s'intégrer dans une petite école, les gangs sont déjà formées. Elles se sont donc retrouvées ensemble dans toutes les activités, dans tous les travaux d'équipe… Océane a déménagé par ici en janvier, elles l'ont prise sous leurs ailes.

Je me demande s'il fait partie d'une gang, lui.

— Tu as fait quoi de ton après-midi ? Tu sèches les cours souvent ?

— Ça dépend.

Ah !

— Attention à la sou…

Trop tard ! Je ne vois pas la souche d'arbre au sol. Par contre, le bout de ma botte heurte le morceau de bois qui émerge du tapis neigeux. Je tombe comme une crêpe dans la neige à côté de Mike. Bravo ! Maintenant, je suis toute mouillée.

— Ça va ?

J'agrippe sa main pour me relever doucement. Je secoue mon jeans déjà trempé. Les flocons collent aux vêtements à ce moment-ci de l'année.

— Oui, ça va…

Mike enlève les morceaux de glace qui se sont accrochés à ma tuque en passant la main dessus.

— Il faut regarder où on met les pieds quand on est dans le bois !

— Oui, je sais, je suis bête…

Il se remet à marcher. Il avance plus vite, cette fois. Je cours pour le rattraper. Je sens déjà le froid sur mes cuisses à travers mon pantalon humide.

— Et c'était quoi, ce seau que tu transportais ?

Il s'arrête et pivote vers moi. Je m'arrête aussi. Il m'observe encore avec cette drôle d'expression, la tête inclinée, les yeux plissés.

Je pose trop de questions, je sais. Je vais le faire fuir, si je continue comme ça. C'est plus fort que moi, je veux tout savoir. Il est si différent des garçons de mon âge. Il est grand, très beau et un peu étrange. Il va et vient sans se préoccuper des autres. Surtout, il ne cherche pas à faire l'idiot pour se rendre intéressant.

— Je ramassais l'eau d'érable. On la fait bouillir pour en faire du sirop. Enfin, on essaie, le froid traîne cette année et la saison prend du retard.

C'est vrai, le printemps, c'est la saison des sucres. Mes parents m'amènent manger dans une cabane à sucre tous les ans. Une grande salle dressée de longues tables, garnies de jambon et de fèves au lard, animée de rigodons, où l'on déguste de la tire durcie avec un petit bâton de bois. Mike ne parle sûrement pas de la même chose.

— Vous avez une cabane à sucre ?

Il tourne les talons pour poursuivre son chemin.

— Oui, mais ce n'est pas très gros. On fait tout à la main. On essaie d'en vendre aux commerces du coin pour boucler les fins de mois. Mon père n'est pas telle-ment en forme pour faire le travail, alors c'est surtout moi qui s'en charge.

Pas difficile de deviner de quelle façon il a occupé son après-midi. Mike Lambert fabrique du sirop d'érable plutôt que d'assister à ses cours. Alors les rumeurs qui circulent à l'école sur le fait qu'il habiterait une cabane dans le bois avec son père seraient-elles vraies?

— Tu me feras de la tire sur la neige?

C'est tellement bon! Son rire résonne en écho dans la forêt autour de nous. Il a un rire fantastique…

— Si tu veux.

Il s'arrête encore. Je n'avais pas vu que nous étions arrivés au bout du sentier.

— La maison des Cormier est juste là, au coin de la rue.

Je remarque le toit jaune, le garage double et les deux voitures de luxe dans la cour.

— Super, merci. Sans toi, je me serais perdue.

Il acquiesce en hochant la tête.

— Bon, bien, on se voit demain à l'école? que je demande, hésitante.

Mike hausse les épaules.

— Je ne sais pas.

Je piétine la neige avec mes bottes. Ici, même dans les rues, la neige n'est pas sale et brune comme en ville.

— Ah! OK, alors…

Il s'avance rapidement de quelques pas. Au point que j'ai un mouvement de recul. Il est trop près de moi.

— Tu sais, Marguerite, il ne faut pas trop t'en faire pour moi. Mon temps dans ce foutu village achève. J'aurai bientôt seize ans. C'est tout ce que j'attends pour lâcher l'école et dégager.

Ses yeux sont soudainement durs et déterminés. J'ai un choc d'apprendre qu'il a presque seize ans ! Que fait-il en deuxième secondaire ? Et comment peut-on vouloir laisser l'école alors qu'on a toutes les portes ouvertes devant soi ? Je ne me verrais pas abandonner les cours. Je veux aller à l'université, devenir journaliste. Mon cœur bat plus fort à l'idée qu'il pourrait partir.

— Pour aller où ?

— Je ne sais pas.

L'expression de son visage se radoucit. Tout son corps soupire. Il a l'air découragé, ou triste. Je ne sais pas quoi lui dire. On ne vit vraiment pas dans le même monde, lui et moi. Je recule.

— J'y vais, Marilou m'attend.

— Ne prends pas le sentier pour rentrer chez toi. Longe la rue Bernier, tu croiseras la rue Fournier, puis la tienne.

Rue Bernier, Fournier… je vais tenter de m'en souvenir.

— D'accord, merci…

Je fais demi-tour. Je veux déguerpir. M'éloigner. Je me sens toute drôle quand il est trop près de moi.

— Hé !

Mes pieds cessent d'avancer. Qu'est-ce qu'il veut ?

— Tu as bien fait de tenir tête à Rosianne, ce matin. Ça prenait du courage.

Rosianne veut lui mettre la main dessus, c'est évident. Mais lui ? Je l'observe un instant, c'est à son tour de piétiner la neige avec ses lourdes bottes.

— Est-ce que tu vas au bal vendredi ? demande-t-il.

19

Les vieux de Marilou

Marilou m'ouvre la porte avec un sourire crispé.

— Tu en as mis, du temps! J'étais sur le point d'appeler du renfort pour partir à ta recherche!

Je retire mes bottes en laissant des traces d'eau et de neige sur le joli tapis fleuri de l'entrée. J'ai oublié de redonner les gants à Mike. Il faut dire qu'il m'a surprise avec sa question au sujet du bal. J'ai répondu que j'y allais, évidemment. Je n'ai pas spécifié que je n'avais pas de *date*. Il n'a rien ajouté. Qu'est-ce que ça veut dire? Pas facile à suivre, le gars!

Marilou trépigne d'impatience pendant que je retire ma tuque.

— Je me suis perdue…

Je n'ai pas le temps de terminer ma phrase ni d'enlever mon manteau qu'elle me prend la main pour me diriger quelque part.

— Viens, mes vieux sont à la cuisine.

C'est coquet chez Marilou. Des meubles en bois, un aquarium qui émet un ronron continu, une bonne odeur de soupe aux légumes qui flotte dans l'air. Encore de la soupe! Les gens ne mangent que ça à l'Île-Ville?

Un homme et une femme sont debout près du comptoir, une coupe de vin à la main. Une musique classique joue en bruit de fond. Ils ne sont pas si vieux que ça, leurs cheveux ne sont même pas blancs. Ils se retournent lorsque nous entrons dans la pièce.

— Papa, maman, c'est Marguerite, celle dont je vous ai parlé.

Qu'est-ce qu'elle leur a raconté, au juste? Ça doit être dramatique, parce que l'homme dépose lentement son verre. Il s'approche de moi, puis met ses mains sur mes épaules.

— Pauvre chouette, pas facile, ce que tu vis en ce moment. Si on peut faire quelque chose pour t'aider, n'hésite pas.

— Euh…

Marilou mâchouille la chaîne en or qui orne son cou. Je lui lance un regard désespéré.

— Justement, papa, Marguerite aurait sûrement besoin de se changer les idées. On pourrait prendre l'autobus vendredi soir et aller au cinéma. Le dernier film de vampires est sorti, on dit qu'il est débile!

Monsieur Cormier regarde sa fille sévèrement. Il n'a plus beaucoup de cheveux sur la tête. Ses sourcils paraissent doublement épais.

— Marilou, l'autobus pour sortir de l'Île-Ville, c'est hors de question, tu le sais. N'insiste pas, c'est non.

Marilou grogne quelque chose qui ressemble à: «Une chance qu'on n'habite pas au centre-ville de Montréal.» En effet, son vieux en ferait des ulcères! J'essaie de réfléchir rapidement.

— Et si ma tante nous accompagnait? Elle aime les vampires, elle pourrait nous conduire et passer la soirée avec nous.

Moi et ma grande trappe! Je n'ai même pas de tante! Enfin, si, la sœur de mon père qui a dix ans de plus que lui et qui est religieuse dans un couvent de Québec. Elle n'en a rien à foutre, des vampires ou des loups-garous.

Monsieur Cormier examine chaque expression sur mon visage. Ancien directeur d'école, hein? Il doit avoir un don pour deviner les mensonges. Je ne bouge pas. Je fais même une petite moue de pitié de celle qui vit un drame. J'ai hâte de savoir ce que Marilou a inventé!

— D'accord, mais je veux lui parler. As-tu son numéro de téléphone?

NON!

— Je lui dirai de vous donner un coup de fil demain.

Ma voix tremble un peu quand Marilou me pousse dans le couloir.

— Parfait! Viens, je vais te montrer ma chambre.

20
Confidences

Marilou saute sur son lit en criant de joie. L'ourson en peluche qui s'y trouvait rebondit dans ses bras.

— C'est super! Il nous a crues!

Elle se jette sur le dos avec un sourire sur les lèvres, l'ourson collé contre sa poitrine. Elle fixe le plafond en rêvassant, elle se voit déjà en train de danser avec son beau Julien au bal. Je referme la porte. On dirait que sa chambre n'a pas changé de décor depuis sa maternelle. Les murs sont roses, son lit à baldaquin pourrait appartenir à une princesse, des animaux en peluche traînent partout dans la pièce. Il n'y a même pas une affiche d'un bel acteur ou d'un paysage plaisant. C'est à faire des cauchemars!

— Ce n'est pas encore gagné, Marilou, que je dis doucement en m'assoyant à l'indienne à côté d'elle. Ton père veut parler à ma supposée tante, as-tu oublié?

Marilou roule sur le côté. Elle se redresse sur un coude pour soutenir sa tête avec la paume de sa main.

— C'est un détail, Marguerite. On trouvera bien quelqu'un qui acceptera de se faire passer pour elle. Emma est bonne pour faire des voix. Il n'y verra que du feu!

Je n'en suis pas aussi convaincue. Marilou risque d'avoir de gros problèmes avec son père s'il découvrait le mensonge. Elle veut tellement aller au bal qu'elle est prête à perdre la confiance de ses parents.

— Dis, tu lui as raconté quoi, à ton père, pour qu'il me prenne en pitié comme ça ?

Elle se cache la face dans son toutou en ricanant.

— Que ta mère avait un cancer du cerveau, en phase terminale ! Elle est venue finir ses jours à la campagne. C'est bon, hein ?

Mes yeux s'arrondissent, je manque d'air.

— Marilou ! Tu en as mis un peu, là ! Tout le monde se connaît ici, il finira bien par croiser ma mère à l'épicerie un jour ou l'autre ! Non, ce n'était pas une bonne idée…

Je me prends le visage à deux mains. Ça tournera au désastre, je le sais ! Marilou essaie de me rassurer, mais j'ai une boule dans la gorge. Je déteste les mensonges.

— Relaxe. Pour l'instant, ça me donne l'occasion d'aller au bal. J'inventerai bien une autre histoire pour la suite. Un remède miracle, n'importe quoi. T'en fais pas, mon père est sévère, mais complètement naïf !

Ce n'est pourtant pas l'image que j'ai perçue de lui.

— Si j'avais un iPod, je pourrais annoncer la bonne nouvelle à Julien !

Je regarde autour de moi. Il n'y a pas de télévision dans la chambre. Ni d'ordinateur ni de radio.

— Ils sont vraiment stricts, tes parents ?

Marilou soupire en se laissant tomber sur le dos, les bras en croix. Son ourson en peluche déboule du lit.

— De vrais *control freaks*. Ils n'arrivent pas à comprendre que je grandis, que je voudrais faire les mêmes choses que tous les adolescents de mon âge. J'aimerais bien avoir des chandails un peu plus *sexy*… je rêve d'avoir des mèches rouges dans mes cheveux comme celles d'Océane. Ils ne veulent rien savoir.

— Vous êtes arrivés ici l'été dernier?

— Oui, mes parents ont pris leur retraite de l'enseignement. Ils avaient envie de vieillir à la campagne, au bord du fleuve. Peux-tu croire qu'ils ont vraiment utilisé ce mot-là? Vieillir! Je n'en revenais pas! Je n'ai rien eu à dire. Fais tes bagages, la petite, on part pour l'Île-Ville.

Je m'allonge sur le ventre à côté d'elle, mes coudes s'enfonçant dans le couvre-lit blanc et rose. On se connaît depuis moins d'une journée et, pourtant, je l'adore déjà.

— Moi non plus, je n'ai rien eu à dire. Mes parents ont acheté l'épicerie, voilà. C'est tout un choc culturel de débarquer ici quand on est habitué à la ville.

— Je comprends, nous habitions Québec avant. Ici, il faut faire plus de quarante minutes de route pour avoir un centre commercial digne de ce nom. Pas de cinéma, pas d'aréna, pas de piscine…

— Au moins, il y a le WiFi, que j'ajoute d'un souffle désespéré.

— Parle pour toi! Mon père a peur d'Internet. Il dit que ça rend fou. Tu te rends compte? J'ai un nombre d'heures limitées pour faire mes recherches, et l'ordinateur familial a été installé dans le salon!

En effet, ça, c'est pire! Inacceptable!

— Un jour, je te jure, je vais crier tellement fort qu'ils n'auront pas le choix de m'écouter! Mais je leur dois beaucoup. Ils m'ont adoptée, ils m'ont donné une belle vie, de la nourriture à volonté sur la table. Je ne peux pas trop me plaindre.

Alors Marilou se sent redevable envers ses parents adoptifs parce qu'ils l'ont sortie de sa petite misère quand elle était bébé ? Ça doit être étrange de ne pas connaître sa vraie famille, de ne pas lui ressembler. J'ai le nez de ma mère, mais le front de mon père. J'aime savoir que j'ai la patience de l'un et la détermination de l'autre. À qui peut-on s'identifier lorsque notre peau n'est pas de la même couleur que celle de nos parents ? J'aimerais bien savoir. J'en parlerai avec elle un jour…

Marilou saute sur ses pieds, puis ouvre la porte de sa garde-robe, tout excitée.

— Regarde la robe que je veux mettre vendredi !

Je cligne des yeux plusieurs fois en voyant la robe noire couverte de brillants. Elle la place devant elle en esquissant un grand sourire. Avec ses cheveux d'ébène, elle va être splendide dans ce vêtement.

— Wow ! Mais, Marilou, tu vas geler avec ça sur le dos en avril !

La robe descend jusqu'en haut du genou ! Elle est munie de manches courtes, d'un col baveux. Oh ! Et taillée dans un tissu moulant. Très *sexy* ! Marilou est chanceuse, elle a déjà une belle poitrine.

— Pfff, c'est bien la dernière chose qui pourrait me déranger.

— C'est vraiment à toi ? Ton père t'a déjà laissée porter ça ?

Elle éloigne la robe pour mieux l'admirer.

— Penses-tu ! Emma me l'a prêtée.

Des pas s'approchent dans le couloir. Oh non ! Son père ! Marilou sursaute et se dépêche de ranger sa robe. Nous restons immobiles pour écouter le bruit. Ouf ! Fausse alerte.

— Il ne faudrait pas que mes parents la voient, dit-elle en ramenant ses cheveux derrière ses oreilles.

Je souris pour l'encourager. C'est triste d'être obligée de mentir et de se cacher pour quelque chose d'aussi banal qu'une danse à l'école. Enfin, c'est ce que je crois… Marilou est une bonne fille, dommage que ses parents ne lui fassent pas confiance.

— Et toi, tu disais que tu t'étais perdue dans le bois ? demande-t-elle en se calant dans les oreillers sur son lit.

— J'ai probablement pris le mauvais sentier. Par chance, je suis tombée sur Mike, il m'a ramenée jusqu'ici.

Marilou se redresse vivement, la bouche entrouverte. Elle bat des cils, comme si elle avait une poussière gênante dans l'œil.

— Tu as croisé Mike Lambert dans le bois ?

— Euh… oui.

— Il t'a raccompagnée jusque chez moi ?

— Oui.

Décidément, je ne comprends pas vraiment l'obsession des filles chaque fois que Mike ose me parler.

— Oh mon Dieu! Rosianne ne doit pas savoir ça! Elle va te tuer.

Oui, je peux le croire!

— Il m'a aidée, c'est tout.

— As-tu vu sa cabane? On raconte qu'il vit dans une espèce de mansarde. Personne n'y va jamais, son père est fou!

Même si ses propos me donnent des frissons dans le dos, Marilou pique ma curiosité. Mike a dit que son père n'était pas en forme pour s'occuper de la cabane à sucre, mais il n'a jamais dit qu'il était fou.

— Il est malade?

— Alcoolique fini, d'après ce qu'on raconte. On ne le voit jamais nulle part. Mike n'est pas tellement mieux. Il vient à l'école, assiste aux cours et retourne se cacher dans la forêt. Et ça, c'est quand il est à l'école, car il manque de plus en plus de cours. D'ailleurs, il a doublé son année à cause de ça!

Je mâchouille une mèche de cheveux. Un vieux réflexe lorsque je suis préoccupée.

— Il te plaît, hein? ose Marilou.

— Non, il n'est pas vraiment mon genre.

Je serre les dents. Au contraire, il est tout à fait mon genre. TROP mon genre. Les petits branchés avec leur cellulaire et leur casquette à l'envers ne m'ont jamais attirée. Je préfère la simplicité, la sincérité. Ceux qui n'ont pas peur de décoiffer leurs cheveux bien placés, qui se préoccupent d'autres choses dans la vie que de leur prochain texto.

Mike n'a sûrement pas de cellulaire…

— Marilou ?

— Quoi ?

— Mike m'a demandé si j'allais au bal…

— Ah ben là, c'est le bout de la *marde* !

21
Le café du coin

Les parents de Marilou m'ont chaleureusement invitée à manger avec eux. Une bonne soupe chaude aux légumes, avec de petits croûtons au beurre croustillants. C'était délicieux! J'ai accepté sans hésiter, car de toute façon j'aurais été seule à la maison. Mon père et ma mère travaillent tard le soir. J'ai l'habitude puisqu'avant l'épicerie c'était la quincaillerie. Ils ont troqué les marteaux contre des boîtes de conserve. Je me suis donc sauvée d'un restant froid dans le frigo.

Monsieur et madame Cormier sont gentils, même s'ils sont vieux jeu. Il m'a fallu mettre une serviette de table sur mes genoux et surtout éviter de poser un coude sur la table pendant le repas. Le plus pénible a été de répondre à leur millier de questions sur la supposée *maladie* de ma mère.

L'obscurité est maintenant tombée. Je marche rapidement en écoutant le bruit de mes pas dans la neige. Pas celui des voitures, des klaxons ou des autobus. Non! Celui de simples pas sur le trottoir. Marilou m'a donné quelques indications pour trouver un café – probablement le seul de la ville – où on peut accéder à Internet. Puisqu'il n'est pas encore activé à la maison, je pourrai vérifier mes courriels et envoyer un message à Joanie.

Marilou s'est agitée quand je lui ai dit que Mike m'avait parlé du bal. Elle s'est écriée: «Réunion immédiate du

Club des Girls!» Il paraît que je comprendrai une fois connectée au réseau. J'ai hâte de savoir de quoi il s'agit.

«Le café du coin».

Les lettres «Ouvert» clignotent en mauve au-dessus de la porte de bois. J'imagine que c'est ici.

Une sonnette tinte quand je pousse la porte. Trois personnes tournent la tête. Ce sont sûrement les habitués de la place qui sirotent le même café depuis longtemps en racontant leur vie à la serveuse.

Il y a des tables rondes disponibles, mais je choisis de me diriger vers un fauteuil, dans le coin. Le décor est un peu vieux et défraîchi, mais l'endroit est tranquille. Tant que l'accès à Internet fonctionne, je m'accommoderai des fauteuils même si les ressorts sont raides.

Réseau branché. Bonne réception du signal. Yé! Même pas besoin de mot de passe.

— Est-ce que je te sers quelque chose?

Je lève la tête. La serveuse, qui doit avoir quatre-vingt-dix ans – OK, soixante-cinq –, est debout devant moi sur ses chevilles enflées et ses jambes arquées. Son regard est fuyant et ses mains tremblent. Vivement la retraite, pauvre femme.

— Euh…

Je dépose précieusement les gants de Mike sur la table basse tout près. J'enlève mon manteau pour fouiller dans les poches de mon jeans. Il doit bien y avoir un deux dollars qui traîne.

— Un chocolat chaud, s'il vous plaît.

Ce n'est pas un Tim Hortons, mais bon…

J'ouvre ma boîte de courriels d'un geste automatique. Je le fais tellement de fois dans une journée que c'est maintenant naturel. Je pourrais le faire les yeux fermés! Je souris en voyant la dizaine de messages de Joanie. Moi aussi, je m'ennuie d'elle. Il y a un message d'Emma dans Facebook qui attire mon attention.

«Emma vous invite à rejoindre le groupe "Club des Girls[1]".»

Accepter.

Un clic, deux clics… et s'affiche la page Facebook du club. Un groupe secret. Emma, Marilou et Océane sont en ligne. Ça discute sérieusement! Les vacheries que Rosianne dit sur moi, les belles fesses de William, madame Mercier qui s'est ridiculisée devant toute la classe en s'étouffant avec un morceau de carotte. Je souris, ça me fait du bien de penser que je fais déjà partie de leur gang. Elles sont drôles. Et je me sens moins seule.

---

1. Joins-toi à la page Facebook du Club des Girls : Catherine Bourgault - Auteure.

Club des Girls | **Membres** | **Événements** | **Photos** | Groupe privé
4 membres

Emma
Bienvenue Marguerite !
J'aime   Commenter   Partager   Il y a 10 minutes

👍 Emma et 2 autres personnes aiment ça

 Marilou Dernière nouvelle, les filles, Mike a invité Marg au bal !
Il y a 8 minutes   J'aime   👍 2

 Emma Quoi !
Il y a 7 minutes   J'aime

 Océane Pourquoi il a fait ça ?
Il y a 5 minutes   J'aime

 Marilou C'est évident, il s'intéresse à elle !
Il y a 3 minutes   J'aime   👍 2

 Emma Aaaaahhhhhhh ! ! ! ! ! ! ! ! ! (Pauvre Rosianne !)
Il y a quelques secondes   J'aime

Votre commentaire...

Les filles délirent avec leurs suppositions. Une bombe n'aurait pas créé plus vive réaction. *Est-ce que Mike s'intéresse à moi ?* Je m'empresse de rectifier les faits par un chat privé avec Emma et Marilou.

Emma et Marilou

12 avril 19:34

Marg

> Il ne m'a PAS invitée, il m'a demandé si j'irais. Ce n'est pas la même chose !

Emma

> C'est vrai...

12 avril 19:35

Marilou

> Ça ne voulait peut-être rien dire, mais Mike ne vient jamais aux activités organisées par l'école, c'est énorme comme déclaration ! Il ne faut pas que Rosianne sache ça !

12 avril 19:38

✓ Vu par tout le monde

Le débat se poursuit, je glisse mes pouces sur l'écran pour répondre aux filles tout en lisant les courriels de Joanie, ma *best* restée à Montréal qui s'ennuie. Elle me raconte tous les potins de mon ancienne école. Elle a enfin réussi à parler

99

au beau Xavier! Je ne me préoccupe pas des quelques clients qui entrent et sortent en saluant la serveuse derrière le comptoir. «À demain, Jeannette!» Concentrée sur mon iPod, je bois mon chocolat chaud à petites gorgées. Il a un goût de réchauffé...

— Grouille-toi, Mike Lambert!

Mon iPod tombe sur la céramique. Je me demande si c'est le cri ou le nom qui m'a fait le plus sursauter. Je scrute le resto du regard pour vérifier si on parle bien de MON Mike Lambert. Celui qui m'a sauvé la vie en forêt! Du moins, presque... Il n'y a certainement pas deux garçons du même nom dans cette ville.

Je l'aperçois enfin par la porte ouverte qui mène à la cuisine. Il est penché au-dessus d'un évier, un filet sur la tête. Il a les deux mains dans l'eau et le savon jusqu'aux coudes. Il est si grand qu'il doit courber les épaules. Un homme dans la quarantaine se tient derrière lui en l'engueulant comme du poisson pourri.

— T'es bien le fils de ton père, même pas capable de laver la vaisselle! Au salaire que je te donne, arrête de regarder les filles. J'ai besoin de verres! Je veux que ça brille.

Il relève les yeux, son regard sombre croise le mien.

— Oui, monsieur, murmure-t-il à son patron.

C'est exactement ce moment-là que choisit Rosianne pour entrer dans le café.

22
La nouvelle et la chipie

— Marguerite! Tu es là! Quelle belle surprise!

Je tape plus vite que mon ombre sur mon iPod.

Marg
Alerte rouge! Rosianne m'a suivie au café.
J'aime   Commenter   Partager   Il y a quelques secondes

Les réponses de mes amies sont instantanées, mais je n'ai pas le temps de les lire. Rosianne vient vers moi, emmitouflée dans son manteau qui laisse paraître son nombril, mais qui entoure son cou d'un col en fourrure. Évidemment, elle jette un coup d'œil à mon écran, mais je suis plus maligne, j'ai rapidement fermé ma page Facebook.

— Rosianne, quel hasard.

Elle s'assoit sur le fauteuil à côté de moi comme si je l'avais invitée. Elle dégage une mauvaise énergie, cette fille. On a envie de s'enfuir quand elle approche.

— Et puis, ta première journée?

Je fronce les sourcils. J'essaie de la cerner, mais je n'y parviens pas. Elle m'a fait la vie dure toute la journée et là, d'un air naturel, elle s'informe pour savoir si tout s'est bien passé. Elle tente d'être gentille ou quoi? Je me retiens pour ne pas l'envoyer chi**. Avec un doigt d'honneur, tiens!

101

— Parfaite. Merci d'avoir été aussi aimable en m'invitant dans votre équipe pour le travail de géo. Je me demande bien comment je me serais débrouillée sans toi !

Le faux sourire de Rosianne se fige sur son visage. Cette fille me prend pour une idiote, mais elle va vite comprendre qu'elle n'est pas le premier phénomène du genre que je rencontre.

Je jette un coup d'œil à la cuisine. Mike se démène pour laver la vaisselle avant que son patron ne crie contre lui encore une fois. Merde, Rosianne suit mon regard. Elle voit Mike au loin. Soudain, elle se met à parler plus fort pour attirer son attention.

— Justement, à propos du travail d'équipe, je t'ai apporté les notes de cours.

Mike l'a entendue, c'est certain, car il a secoué la tête. Un signe d'exaspération ?

Elle a vraiment du culot de se coller à moi comme si elle était une bonne fille. Elle mériterait une claque dans sa petite face gommée de fond de teint. Je ne prends pas les feuilles qu'elle me tend.

— Merci, mais je vais faire ma recherche moi-même, on en discutera en équipe après.

Je ne lui fais pas confiance, elle serait capable de me donner des notes forgées de toutes pièces pour me faire couler ou paraître nulle. Ne jamais tourner le dos à l'ennemie !

Son expression durcit. Je déglutis. Je viens de signer mon arrêt de mort. Ce sera une troisième guerre mondiale au bal, vendredi, c'est sûr.

Une ombre passe devant nous. Mike est là, affublé de son filet sur la tête et de son tablier mouillé.

— J'ai croisé madame Bournival en fin de journée. Tout est arrangé, Marguerite fera le travail avec moi.

— Quoi ?

Rosianne se lève d'un bond. Elle est grande, presque autant que Mike. Et elle est trop près de lui…

— Tu as bien compris, ajoute-t-il en la fixant dans les yeux.

Sa voix est calme, sans faille. Je me crispe à mon siège. Je ne sais pas quoi faire d'autre.

— Ah tiens ! Tu sais parler, toi ? Et depuis quand tu fais équipe avec quelqu'un, monsieur Solitaire ?

Mike la regarde s'éloigner, mais elle revient sur ses pas pour planter son visage à dix centimètres du mien.

— Au fait, Marguerite, as-tu retrouvé ton soutien-gorge ?

La vache !

Elle pousse Mike de son chemin, qui l'observe la tête haute sans broncher. Elle se dirige à la cuisine en retirant son manteau, qu'elle accroche vivement sur un crochet. Elle est employée ici, elle aussi ? Rosianne travaille au même endroit que Mike ? Elle ne m'a donc pas suivie, mais elle est là pour se faire de l'argent de poche. J'imagine déjà le portrait : la serveuse et le plongeur. Justement, ce dernier la fixe alors qu'elle relève ses cheveux en chignon. C'est vrai que son cou est gracile… Même les chipies sont parfois jolies.

23
Les bonnes intentions de Mike

Mike prend place sur le fauteuil où Rosianne était assise il y a quelques minutes à peine. Je suis sous le choc. La chipie a mon soutien-gorge, c'est bien évident. Que va-t-elle en faire? Ce sera théâtral, c'est certain! Va-t-elle recourir à la méthode classique, c'est-à-dire l'accrocher à mon casier en écrivant « salope » au crayon rouge? En faire un drapeau à la porte de l'école? Une banderole dans le gymnase? Je porte mes doigts à ma bouche, ça me rend nerveuse, tout ça.

Je ne sais pas pourquoi, je me mets à chuchoter.

— C'est vrai que tu as vu madame Bournival, la prof de géo?

Mike se penche vers l'avant, les coudes appuyés sur les genoux. Son filet cache ses cheveux qui retombent normalement sur son front, c'est la première fois que je peux voir ses yeux aussi clairement. Ils sont profonds et un peu trop troublants…

— Oui, elle est venue prendre un café tantôt. Je l'ai convaincue de te changer d'équipe. Rosianne va te manger tout cru si tu fais le travail avec elle.

Je n'aime pas son sourire en coin. Il me nargue, là? Je redresse les épaules.

— Je sais me défendre.

Son visage redevient sérieux. Il a soudainement l'air d'un petit garçon qu'on vient de gronder. C'est mignon…

— Je sais.

Il regarde ses doigts; moi, le plancher. Malaise. Qu'est-ce qu'il me veut, au juste? Pourquoi vole-t-il toujours à mon secours? Il espère sauver le monde ou quoi? Je guette Rosianne du coin de l'œil, qui verse de l'eau dans la cafetière.

— Tu travailles ici?

Bon, pas géniale, ma question, mais c'est tout ce qui me vient à l'esprit.

— Oui, quelques soirs par semaine, le samedi…, répond-il distraitement.

— Ça fait beaucoup de choses, en plus de l'école et de la cabane à sucre.

Il fait un geste comme s'il voulait se passer une main dans les cheveux, mais se ravise en touchant le filet sur sa tête. Il n'ajoute rien. Je le sens loin, perdu dans ses pensées. Je lui tends ses gants qui étaient sur la table.

— Tiens, voilà, j'ai oublié de te les rendre tantôt.

Il lève la main.

— Garde-les pour rentrer chez toi, il fait froid. Tu me les redonneras à l'école.

— MIKE LAMBERT!

Oh non! Son patron est en furie. Mike bondit comme un chevreuil, le fauteuil sur lequel il était assis bascule.

Rosianne sourit au loin. La peste ! C'est elle qui a alerté le supérieur !

— Je dois y aller ! On se voit demain avant les cours pour parler du travail ? Disons, huit heures ?

Il disparaît derrière le battant. L'énorme soupir que je pousse fait soulever mon toupet dans les airs. Rosianne retient bien mal son fou rire.

C'est moi qui lui sauterai à la gorge sous peu si elle continue de m'embêter !

J'ouvre un message de Joanie. Je clique sur « Répondre ».

À : Joanie Drolet
De : Marguerite Lafleur
Objet : RE : Le beau Xavier

Allô toi !

Enfin, j'ai trouvé un réseau Internet pour te répondre, ce n'est pas facile dans cette ville !

Bravo pour le beau Xavier ! :P

Résumé de ma journée : je fais partie d'un club de girls (des filles *cool*, je te raconterai). Il y a une folle (genre belle et populaire) qui veut déjà ma mort ! Tu sais comme je ne les supporte pas, celles-là !

J'habite à côté de jumeaux complètement dérangés. Et finalement, j'ai fait la connaissance d'un mystérieux casier 137…

Ici, c'est comme nous avions imaginé. Il n'y a pas de cinéma, pas de centre commercial, et les élèves se déplacent en autobus jaunes!

Je m'ennuie de toi.

Ta best forever!

Marg xxx

J'allais ranger mon iPod dans ma poche et sortir du café, mais je suis retenue par la prouesse de Mike, qui passe devant le comptoir avec quatre verres étincelants en équilibre dans les mains. Rosianne le dévore des yeux sans subtilité, en sachant très bien que j'observe la scène. Grrr...

Ça me fait penser, en le voyant, que je dois absolument laisser un message aux girls. Emma et Océane sont en ligne. Le temps que le père de Marilou lui alloue pour consulter Internet doit être expiré.

Marg
Mike vient de me dire que je ferai le travail de géo avec lui! C'est à suivre...
J'aime   Commenter   Partager   Il y a quelques secondes

24
La robe de bal

— Doucement avec la porte, Marguerite !

La voix de ma mère me paraît loin. Elle doit être au sous-sol. C'est bon de sentir la chaleur du foyer au salon, je frissonne de la tête aux pieds. Je me débarrasse de mes bottes d'un coup de pied avant de me diriger directement vers ma chambre. J'ai une idée derrière la tête. Ma mère coupe mon élan. Finalement, elle n'était pas au sous-sol, mais dans la salle de bain. Elle a une serviette enroulée autour du buste.

— As-tu mangé, ma belle ?

Je la contourne. Si elle prend une douche à cette heure-là, c'est qu'elle a une sortie.

— Oui, maman.

Pas moyen d'être tranquille, elle me talonne.

— Tu as mangé où ?

Allez, maman, *come on*, laisse-moi, j'ai des choses à faire ! Je me concentre pour paraître calme et répondre à toutes ses questions d'un seul trait.

— J'étais chez Marilou, une fille de l'école. Ses parents m'ont bien nourrie ! Maintenant, j'ai des devoirs à faire, maman.

C'est vrai que j'ai des devoirs, beaucoup même, en raison des exercices supplémentaires que je dois faire pour être à jour dans le programme scolaire, mais il y a plus urgent encore! Je retiens mon souffle pendant que ma mère m'examine de son air étrange. Elle fait toujours ça quand elle croit que je mens.

— D'accord, ton père et moi avons une réunion à la chambre de commerce ce soir, ne te couche pas trop tard.

— Promis. Oui, je vais barrer la porte, oui, je vais brosser mes dents…

Ma mère soupire, puis laisse entrer mon chat avant de refermer la porte de ma chambre. Il était temps! Caramel saute sur mon lit en miaulant.

— Allô, toi! que je dis en lui grattant la tête. Si tu savais la journée que j'ai eue, mon vieux. Tu sais quoi? On a un bal vendredi! Il faut que je me trouve une robe! Il faut surtout que je sois plus belle que Rosianne-la-pas-fine.

Elle doit avoir une longue robe de princesse, avec une traîne et un diadème sur la tête. Les mots «reine du bal» sont tatoués sur son front. Je m'attends donc à quelque chose d'époustouflant. A-t-elle demandé à Mike de l'accompagner? Finalement, ils ont l'air de se connaître plus que je ne le croyais.

Je vais donc devoir faire sensation! Par quelle boîte commencer? Je ne me souviens plus où j'ai rangé la robe que j'ai portée au mariage de ma cousine l'été dernier. J'espère qu'elle me fait encore. J'ai grandi depuis ce temps!

Je choisis une boîte au hasard. Elle est plutôt lourde, ce ne sont sûrement pas des vêtements. Je soulève doucement le couvercle. Des photos! Des tonnes et des tonnes de portraits de Joanie et moi. Ça me rend nostalgique. Nous étions inséparables depuis le début de notre secondaire.

Je la referme en secouant la tête. Ce n'est pas le moment de m'émouvoir. J'ai une robe à trouver. Le bal est dans deux jours! Rosianne me fera assurément passer la pire soirée de ma vie, mais puisque j'ai dit que j'irais, j'y serai!

Il n'y a pas seulement les mauvais coups que prépare Rosianne qui m'énervent. Mike Lambert m'a demandé si j'allais à la soirée. C'est suffisant pour m'empêcher de dormir. Il y a sûrement une raison derrière tout ça. Zut! Pourquoi me faire languir ainsi? S'il m'avait tout simplement invitée, tout aurait été plus clair. De plus, Marilou m'a un peu excitée quand elle a dit: «Mike s'intéresse à elle, c'est évident!» Je ne sais pas où il voulait en venir en me parlant du bal et ça m'agace. On dit qu'il ne se présente jamais aux activités, qu'il ne s'adresse à personne, alors pourquoi agit-il différemment avec moi?

Je me demande c'est quoi son genre de fille.

Tiens! voilà les films que je cherchais. Tous les *Twilight*! Je me fais un honneur de les écouter au moins une fois par mois. Le besoin commence à se faire sentir! Je pousse les boîtes une à une, ma chambre est un vrai fouillis. Je retrouve des livres, des bibelots, mon affiche de Simple Plan…

Comme toujours, mes vêtements chics sont dans la dernière pile. Je vide le contenu d'une des boîtes sur le lit. Caramel allonge déjà les pattes pour toucher à ma belle jupe en jeans. Elle est un peu ajustée et je la porte toujours avec mon chemisier noir. Ça me donne un petit air *sexy* quand je remonte mes cheveux avec une pince! Je vois un bout de tissu blanc dépasser. Je le saisis délicatement, puis secoue la robe pour la défroisser.

Ce sera parfait. Une longue robe blanche qui descend jusqu'aux chevilles, avec un beau corsage bleu poudre. Ce ne sera pas une tenue idéale pour le mois d'avril, mais j'ai un châle que je peux passer sur mes épaules. Je la suspends derrière ma porte pour la voir dans son ensemble. Avec mes souliers gris, ce sera génial! Est-ce que Mike l'aimera?

Pourquoi cette pensée me traverse-t-elle l'esprit? Je ne pense jamais aux garçons! Joanie me cassait les oreilles avec mon indifférence marquée pour ceux qui s'intéressaient à moi. D'ailleurs, selon *ma best*, c'est un crime de ne pas avoir encore embrassé un garçon à quatorze ans. Elle l'a fait tellement de fois, elle… Dans mon cas, je n'ai encore jamais été attirée par un garçon au point de vouloir mettre ma langue dans sa bouche. Et je n'embrasserai pas le premier qui se présente juste pour la curiosité de le faire. Ark! Ça pourrait même être dégoûtant.

Mike Lambert est tellement différent…

Oh! Tu t'emballes trop vite, Marguerite Lafleur. Il ne t'a pas invitée au bal, il n'a même pas dit qu'il irait. Il voulait seulement savoir si, TOI, tu serais à la soirée.

25
Déception

Les gants de Mike dans les mains, je m'appuie à mon casier en regardant l'heure à mon poignet. Huit heures cinq. Mike m'avait donné rendez-vous à huit heures pour parler de notre travail de géo. Il est en retard. Les élèves commencent à arriver. Je surveille chaque nouvelle tête qui entre. La sienne dépassera toutes les autres. Mike est facile à repérer dans un groupe.

Je replace vivement mes cheveux pour la millième fois. J'ai mis une heure à les gonfler avec ma grosse brosse et ça ne paraît même plus! Je pourrai dire à ma mère que sa mousse en bouteille «volume garanti», c'est n'importe quoi! Tout ce que j'ai gagné, c'est une crampe dans le poignet à force de tenir le séchoir dans les airs. Est-ce que mon chandail a un mauvais pli? J'ai mis le rouge, celui qui donne de l'éclat à mes yeux.

J'aperçois Rosianne du coin de l'œil. Il faut dire qu'elle ne manque pas de se faire remarquer. Elle roule des hanches jusqu'à son casier, qui, malheureusement, n'est pas si loin du mien. Ah, tiens! Son regard assassin brille de nouveau. Elle a perdu son gentil sourire de la veille quand elle me proposait de faire partie de son équipe. Sa grandeur d'âme n'aura pas duré longtemps! Au moins, il n'y avait pas de soutien-gorge accroché à mon casier ce matin.

La princesse n'aime pas que je tourne autour de Mike. Il semble être un objet précieux convoité par tout le monde, mais dont personne ne parvient à approcher. Sauf moi…

113

Ce n'est pas ma faute, c'est lui qui est toujours là au bon moment. Je ne demande rien. D'ailleurs, il n'est toujours pas arrivé, ce Mike. J'ai une boule dans la gorge. Il a peut-être oublié.

Je suis déçue, j'avais hâte de le voir.

26
En mode panique

Je range lentement mes livres en soupirant. Les cours débutent dans quelques minutes, c'est foutu pour mon rendez-vous avec Mike. Il brille par son absence. Je lance ses gants au fond de la tablette.

Je les lui donnerai une autre fois !

J'entends soudainement du brouhaha autour de moi. Intriguée, je relève la tête. C'est le Club des Girls qui s'amène en force. Emma ouvre la marche, tandis qu'Océane et Marilou suivent de près. Elles avancent d'un bon pas, avec une expression déterminée dans les yeux. Je souris, car elles me font penser à Rosianne lorsqu'elle se déplace avec sa bande, sauf que mes amies n'ont pas le regard signifiant « regardez-nous ».

Rapidement, je comprends qu'il y a panique au sein de la troupe.

— Marguerite, c'est épouvantable, regarde ! s'écrie Emma.

— Quoi ?

Qu'est-ce qui pourrait être plus dramatique que Mike Lambert qui me fait perdre mon temps un jeudi matin ? Emma me donne un coup de hanche pour m'écarter. Elle colle son visage au miroir fixé derrière la porte de mon casier.

— Rosianne m'a dit que j'avais un énorme bouton sur le front ! s'énerve-t-elle en relevant ses cheveux.

Je m'approche pour examiner cette affreuse chose. Je ne vois rien.

— Où ça?

Emma pousse un cri strident.

— Ah! Elle a raison! Ne me dis pas que tu ne le vois pas, là, regarde, il est gros comme un œuf!

Son index pointe un minuscule point rouge. Un minibouton encore tout rose. Pour arriver à le voir, il faudrait une loupe et une lampe de poche.

— Tu exagères, Emma, lance Marilou. On ne le voit pas. Rosianne t'a dit ça pour t'écœurer, comme d'habitude.

— Ce n'est pas un bouton, ça, on le distingue à peine à l'œil nu, ajoute Océane en fouillant dans son sac pour trouver un paquet de gomme.

Emma scrute chaque parcelle de sa peau pourtant sans défaut. La moindre tache de rousseur la fait grogner.

— Justement, imaginez quelle apparence il aura demain soir au bal. Il va éclore la nuit prochaine, je le sais! Ce n'est pas tout, je pense qu'il y en a un autre qui me pousse sur le menton! As-tu de l'alcool à friction? demande-t-elle en se tournant vers moi, pleine d'espoir.

— Pourquoi j'aurais ça sur moi?

— Il paraît que ça assèche la peau. Je veux m'en étaler sur toute la face. PRÉ-VEN-TION! Limitation des dégâts! Les grands moyens, quoi!

Que de drame pour si peu! J'attrape une barre tendre aux fraises que j'ai prise en vitesse dans l'armoire avant de partir ce matin. J'étais trop énervée par mon rendez-vous avec Mike pour déjeuner.

— Le fond de teint fait des miracles de nos jours, Emma.

Océane s'agite derrière nous.

— Non, moi c'est bien pire ! Ma mère m'a rappelé que j'avais un rendez-vous chez le dentiste demain après-midi ! Un plombage ! J'aurai une grosse joue et je serai incapable de boire sans baver partout !

Marilou et moi hochons la tête avec compassion. J'ai un frisson juste à penser à la longue aiguille qui transperce notre gencive en laissant un goût amer dans la gorge.

— Tu as raison, Océane, que je dis, c'est plus grave que le bouton d'Emma.

Un sourire se dessine presque sur mes lèvres, mais je le retiens. Ce n'est pas le temps de se moquer d'elle.

— Ouais, peut-être…, ajoute cette dernière.

Marilou s'avance au milieu de notre cercle. Elle a attaché ses cheveux aujourd'hui, ça lui va bien. Elle paraît plus vieille que son âge !

— Attendez, c'est moi qui ai la pire histoire d'horreur. J'ai parlé à Julien en arrivant. Voilà ce que je craignais : si je ne vais pas au bal, il sera accompagné d'une autre fille ! Notre plan doit absolument fonctionner pour me permettre d'y aller. Je ne veux pas perdre ma chance ! Julien… il me plaît vraiment.

Un gars qui menace de se rendre au bal avec une autre fille en vaut-il la peine ? Drôle de façon de voir les choses. À ce compte-là, je préférerais y aller seule ! Mais je me tais. Je garde le silence aussi à propos des ennuis d'Emma et d'Océane. Avoir un bouton sur le front ou aller chez le dentiste n'est pas ce que j'appelle une catastrophe. Si, pour mes nouvelles amies, cela est d'une gravité digne de mention et de panique, qu'en est-il des enfants qui crèvent de faim dans le monde ?

Emma décide d'apaiser Marilou. Heureusement, parce que moi…

— Ça va bien aller, la rassure-t-elle en lui tapotant l'épaule. Je vais appeler ton père ce midi en me faisant passer pour la tante de Marguerite qui vous amènera au cinéma demain soir. C'est gagné d'avance.

— Merci, t'es super fine !

Marilou retrouve son sourire. Je ne suis pas convaincue de la réussite de cette entreprise, mais je ne dis rien. Je prends mes livres d'anglais en engloutissant une dernière bouchée de barre tendre. J'aurai besoin d'énergie, la journée s'annonce aussi chaotique qu'hier.

— Et toi, Marguerite, pourquoi es-tu arrivée si tôt à l'école ce matin ? demande Emma en délaissant son bouton naissant. En passant, il est vraiment beau, ton chandail…

— Oui, pourquoi ? répètent en chœur Océane et Marilou.

Deux vrais perroquets ! Je referme mon casier brusquement, puis baisse la tête comme si j'étais ennuyée de leur dire la vérité.

— J'avais rendez-vous avec Mike pour notre travail de géo.

118

Les filles s'excitent comme des puces. Elles sautillent d'une jambe sur l'autre. Comme trois gamines devant une montagne de bonbons.

— C'est vrai, vous allez faire équipe ensemble! Wow, chanceuse! s'exclame Emma.

— Il ne s'est pas présenté, alors ça ne sert à rien de vous énerver…

Emma passe un bras réconfortant autour de mon cou.

— Il ne faut pas t'en faire parce qu'il a raté un rendez-vous. Ça ne veut rien dire. Tu sais, il n'y a jamais rien de garanti avec Mike Lambert. Tu ne devrais pas trop attendre de lui.

— Je vois ça.

27
Le bracelet d'amitié

— OK, les girls, je crois que c'est le moment, déclare Emma en relâchant mon cou.

Les filles se collent devant moi avec un sourire attendrissant. C'est presque émouvant !

— Le moment de quoi ? que je répète en les regardant à tour de rôle.

— Marguerite, commence Marilou d'un ton solennel qui me fait sourire, nous nous sommes consultées et, après délibération, c'est à l'unanimité que nous t'acceptons officiellement dans le Club des Girls.

Elle sort un objet de sa poche. Un bracelet.

— C'est un bracelet d'amitié, dit-elle en tendant la main vers moi, nous avons toutes le même.

Océane et Emma lèvent le poignet avec fierté. C'est un bracelet bien simple, mais il a toute une signification. Je le prends pour le serrer entre mes doigts. Wow, quel magnifique cadeau !

— Merci, les filles, je suis vraiment contente de vous connaître.

— Nous aussi !

Je passe le bracelet à mon poignet. Déjà je me sens plus forte, je fais partie du Club des Girls[2]!

---

2. Tu veux faire partie du club? Vois à la page 281 comment devenir membre! De plus, apporte ton livre à l'auteure et elle se fera un plaisir de te remettre le bracelet officiel du Club des Girls! Consulte régulièrement le site Internet de Catherine pour connaître les endroits où la rencontrer: www.catherinebourgault.com/jeunesse

28

Qui a lancé une gomme à mâcher dans les cheveux de Marguerite?

Je suis le groupe qui se dirige au même cours d'anglais que moi. On dirait un troupeau qui s'en va à l'abattoir. J'ai bien hâte de voir comment l'enseignant prononcera mon nom dans son accent anglais. S'il réussit, il aura ma reconnaissance éternelle.

Les conversations sont tout de même animées au sujet du bal de demain soir. «Ma robe est chez le nettoyeur.» «Est-ce que je mets le vernis à ongles rose ou turquoise?» «Ma tante viendra coiffer mes cheveux!» Zut! Je n'ai pas pensé à tous ces détails. Je ne sais jamais quoi faire avec mon abondante chevelure. Au contraire d'Emma, je suis nulle pour me faire une belle coiffure digne des magazines de mode. Et j'ai besoin d'une boîte entière d'épingles qui nous piquent la tête pour les faire tenir… le temps de quelques heures. Je les laisserai tomber à flots sur mes épaules, ma mère dit toujours que je suis belle ainsi.

Alors que je m'imagine déjà en Cendrillon, mon épaule frappe quelque chose de dur. Au point de me cramponner au bras de Marilou pour ne pas tomber.

— Hé! fais attention!

Le *super* William d'Emma se prend pour une vedette de cinéma avec ses lunettes de soleil remontées sur sa tête.

123

— Dis donc, la fleur, ton Robin des Bois t'a fait faux bond?

Il me regarde de haut, fier de lui. Évidemment, il parle de Mike. Il sait quelque chose, et je n'aime pas ça. Il se retourne sèchement vers Emma en l'agrippant par la taille. Il la plaque contre lui dans un mouvement possessif. Le visage de mon amie s'aplatit sur son épaule carrée. Le jeune homme ose même glisser ses doigts dans la poche arrière de son jeans serré.

William se penche pour lui murmurer à l'oreille: «Beau petit cul», mais je ne suis pas certaine d'avoir bien entendu. Je soupire en la voyant ramollir dans ses bras. «Ah! Emma! Ne te laisse pas impressionner comme ça!» Elle est à sa merci, totalement! Il n'y a plus de service au numéro que vous avez composé. L'abonnée ressemble à une poupée de chiffon ambulante. William l'a piquée de son charme. Plus rien d'autre n'existe. Vu les beaux yeux noirs qu'il braque sur elle en ce moment, il est clair qu'elle ne me prendra jamais au sérieux si je lui balance qu'il est un manipulateur. Pauvre Emma...

Je passe une main découragée dans mes cheveux. Mes ongles restent coincés dans une mèche. Ark! C'est collant! Je tâte la substance caoutchouteuse. Une gomme à mâcher, bordel!

Je me retourne d'un bond, pour voir qui pourrait avoir eu cette bonne idée ce matin. Une gomme ne tombe pas du ciel, à moins que quelqu'un ne l'ait crachée en l'air.

Les jumeaux Côté marchent clopin-clopant derrière moi. Ils sont surpris de mon air bête. Je pointe l'intrus dans mes cheveux. Il ne s'agit pas d'une minuscule mèche derrière la tête. Non! Il s'agit d'une énorme couette sur le côté, qui touche presque mon toupet! Si je dois couper la touffe en question, j'aurai l'air de ma petite cousine Anaïs quand elle décide de jouer à la coiffeuse avec les ciseaux de la cuisine. Un beau look pour aller au bal !

— Vous vous trouvez drôles, peut-être ?

Pour se disculper, les jumeaux lèvent les mains en l'air en reculant d'un pas. Ils portent tous deux la casquette aujourd'hui, je ne peux donc dire qui est qui.

— Ce n'est pas nous ! On te le jure !

Mes yeux passent de l'un à l'autre. Vraiment, j'ai beau analyser chaque détail de leur visage, tout est pareil. Identique ! C'est troublant, j'ai l'impression d'avoir une vision double. Je laisse tomber, ils ont l'air sincère.

— OK, je vous crois.

Si ce n'est pas eux qui ont collé une gomme à mâcher dans mes cheveux la veille du bal, qui c'est alors ?

William s'éloigne en ricanant.

29
Honte et humiliation

Comme je m'y attendais, c'était amusant d'entendre le prof d'anglais prononcer mon nom. Il a fait un bel effort en roulant le « r » de Lafleur, mon patronyme, mais c'était peu convaincant. Ce matin, monsieur Jack se la coule douce. Il nous a remis un texte à lire sur le thème du printemps. La fonte des neiges, le bourgeonnement des arbres… et cinquante questions à répondre pendant qu'il dort à son bureau.

Un bout de papier est projeté sur ma table. Je le déplie discrètement. C'est Emma.

Je déchire le coin d'une feuille de mon agenda pour lui répondre.

Non, désolée. Tu devrais te tenir loin de William.

Je froisse le billet entre mes doigts, puis m'étire pour le glisser sur le bureau d'Emma. Évidemment, elle ne tarde pas à me lancer un nouveau message.

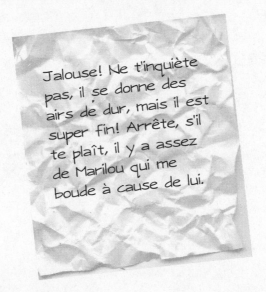

Jalouse! Ne t'inquiète pas, il se donne des airs de dur, mais il est super fin! Arrête, s'il te plaît, il y a assez de Marilou qui me boude à cause de lui.

— *Ten more minutes!*

Monsieur Jack me fait sursauter, le papier que je préparais se sépare en deux dans mon mouvement de surprise. Je griffonne quelques mots rapidement.

128

Je suis certaine que c'est lui qui a mis de la gomme dans mes cheveux !

D'ailleurs, la friandise collante me crée encore un inconfort sur le cuir chevelu. Je l'ai cachée du mieux que j'ai pu sous d'autres mèches. J'inspecterai mon crâne entre deux cours en espérant que je pourrai déloger cette substance encombrante.

— *There is something wrong, miss Lafleurrrrrrr ?*

Non ! Monsieur Jack est planté devant ma table. J'ai une vue magnifique sur son ventre rond et sa cravate jaune banane. Le papier qu'Emma vient de m'envoyer rebondit directement entre ses doigts boudinés. Il le prend. Mon cœur bat à tout rompre. Qu'est-ce qu'elle a répondu ? Le prof sourcille, c'est mauvais signe. Oh ! Il va le lire à haute voix !

— *No, it's Rosianne, the bitch.*

Bravo pour la traduction, Emma n'avait sûrement pas écrit son billet en anglais. Je ferme les yeux en secouant la tête pendant que toute la classe éclate de rire. Rosianne s'esclaffe plus fort que tous les autres.

30
L'apparition de Mike

— Ne bouge pas, Marg !

— Arrête, tu me fais mal !

Je m'agite en tous sens pendant qu'Océane me tient les deux mains pour m'empêcher de remuer. Nous nous trouvons dans la cage d'escalier menant au deuxième étage. L'endroit est désert et à l'abri des regards indiscrets. Debout sur une marche pour mieux voir, Emma essaie de démêler mes cheveux avec un petit peigne aux dents brisées, dans l'espoir de décoller la gomme sans devoir couper la mèche. Ce n'est pas agréable comme sensation.

— Je sais, ma chouette, mais ce n'est vraiment pas beau. Saveur de raisin, en plus, je hais tellement ça. L'odeur me donne mal au cœur.

Je me tais et fais la statue. Je veux vraiment qu'elle réussisse à la déloger. Ce serait horrible de me retrouver avec un toupet au ras de la tête la veille d'un bal. Est-ce que je possède un bandeau qui pourrait cacher le désastre ? Je serre la mâchoire pour retenir les insultes que j'ai envie de cracher au visage de mon amie chaque fois qu'elle tire sur mon cuir chevelu. Elle va m'arracher le crâne !

— Qu'est-ce que monsieur Jack t'a dit après le cours ? demande Marilou, qui m'examine le fond de la tête.

— Enlève-toi, Marilou, je ne vois rien ! grogne Emma.

131

Après avoir lu le message d'Emma devant toute la classe, monsieur Jack m'a simplement dit de passer le voir après le cours. Le sourire satisfait de Rosianne à ce moment-là en disait long sur le calvaire qu'elle me réserve dans un avenir rapproché, c'est-à-dire demain soir au bal!

J'allais répondre, mais je grimace au coup sec qu'Emma vient de donner en maniant le peigne. J'ai peine à garder la tête droite.

— Aïe! En fait, monsieur Jack veut que je copie cent fois «Rosianne Blais isn't a bitch»…

Mes trois amies se regardent, puis éclatent de rire.

— Vraiment? rigole Océane.

— On va t'aider, ajoute Marilou. On en fera chacune vingt! Il est tellement idiot qu'il ne verra rien.

— Bonne idée! lance Océane en soufflant près de mon visage une grosse bulle avec sa gomme à la fraise.

Je fronce les sourcils, je ne veux plus voir l'ombre d'une gomme à mâcher pour les dix prochaines années! Emma quitte son perchoir tandis qu'Océane lâche enfin mes poignets. Je passe une main dans mes cheveux, c'est encore collant.

— Je ne peux rien faire de plus, Marguerite, abandonne Emma. Je crois qu'on n'aura pas le choix d'y aller plus drastiquement.

Elle fend l'air avec ses ciseaux d'arts plastiques. J'écarquille les yeux.

— Non! Si tu coupes mes cheveux, je coupe les tiens!

Emma ricane en feignant d'approcher l'arme du crime. Je la repousse en lui prenant les ciseaux des mains. Soudainement, mon regard est attiré par un mouvement sur la droite. Quelqu'un vient d'entrer par la porte latérale, celle que personne n'utilise jamais.

Mike Lambert.

Il passe devant nous tête baissée, sans nous prêter attention. J'ai toutefois le temps de remarquer le contour de son œil bleu et mauve. Que lui est-il arrivé ? Quelqu'un l'aurait-il frappé ? Je me rappelle le rire moqueur de William ce matin quand il a parlé de mon Robin des Bois, et mes dents grincent de rage. Je suis Mike des yeux, il marche d'un pas décidé, comme s'il se dirigeait vers un endroit précis.

31
Écouter aux portes

Mike ne s'est pas présenté au cours de français. Il s'est enfermé dans le bureau du directeur et n'en est jamais ressorti. Enfin, je ne l'ai pas revu depuis. J'ai passé la dernière heure à écrire son nom dans mon agenda. En lettres carrées, en lettres attachées, en rouge, en bleu. J'ai gribouillé des étoiles tout autour ainsi que des cœurs… Je relevais la tête à chaque petit bruit dans l'espoir de le voir apparaître sur le seuil de la porte.

Je prends maintenant mon temps pour enfiler mon manteau dans l'attente de le croiser aux casiers. Je m'inquiète et j'ai hâte d'en savoir un peu plus sur ce qui lui est arrivé. Le Club des Girls m'attend à l'extérieur. C'est l'heure de passer à l'action pour la deuxième phase du plan! Le moment tant attendu par Marilou. On doit se rendre au dépanneur pour appeler son père d'une cabine téléphonique. Emma tentera d'être convaincante en se faisant passer pour ma tante. Dans mon esprit, c'est loin d'être dans la poche, cette histoire-là!

Je fais un détour par le secrétariat, au cas où je verrais Mike *par hasard*. Je pense que je me suis trompée de couloir parce que j'aboutis plutôt devant le gymnase. Ça sent la sueur!

Bon, tant pis!

J'allais faire demi-tour quand j'entends tout à coup un garçon et une fille discuter à voix basse. Ils sont cachés derrière le muret qui sépare les deux vestiaires. Celui des filles à droite, celui des garçons à gauche. Je n'ai pas l'habitude d'écouter aux portes, même que je déteste les gens qui épient la vie des autres en cachette, mais cette fois je me surprends à avancer sur la pointe des pieds. C'est que le prénom de Mike sur leurs lèvres a aiguisé ma curiosité.

— Qu'est-ce que tu lui as fait, espèce de sans-génie! prononce une voix féminine.

— Tu m'as dit de trouver un moyen pour qu'il manque son rendez-vous avec chose, Lafleur. J'ai seulement fait ce que tu m'avais demandé!

Je crois que j'arrête de respirer pour mieux les écouter. William et Rosianne se disputent tout près de moi. À mon sujet, en plus! Je fais semblant de rattacher mon lacet lorsque deux filles sortent du gymnase en s'excitant sur les bienfaits d'une crème hydratante qui fait disparaître l'acné. Fermez-la!

Grrr… j'ai raté un bout de la conversation.

— Je ne t'ai pas demandé de l'assommer! As-tu vu son visage?

— Pas besoin de t'énerver, je ne lui ai pas touché, à ton prince charmant. J'ai seulement… *Anyway!* On garde le plan pour demain soir?

QUOI? Ils ont un plan? Je me redresse comme si on m'avait piquée au vif. Alex, le prof de gym, arrive derrière moi en sifflant.

— Ça va, Marguerite?

Je n'ai aucune idée si Rosianne et William ont entendu mon nom, mais je bredouille un «oui» avant de me sauver en courant.

32
L'appel de ma tante Monique

Nous sommes quatre à grelotter autour d'un téléphone public décoré de toiles d'araignée qui datent d'un siècle. C'est clair, il n'y a plus personne qui utilise ces appareils de nos jours! Même la cabine pour se réfugier à l'abri des intempéries est inexistante. Le vent souffle, et la neige poudreuse sur le toit nous fouette le visage à chaque nouvelle bourrasque. Je remonte mon capuchon sur ma tête.

— Il fait donc bien froid par ici!

Emma se frotte les doigts ensemble en sautillant d'une jambe sur l'autre pour se réchauffer.

— On est au bord du fleuve, il vente, c'est normal! Qui a de la monnaie?

Nous la regardons comme si elle était une extraterrestre. Pourtant, elle a bien raison, il faut de l'argent pour faire un appel! Tout à coup, je me pose la question – pendant un très bref instant – à savoir si ma carte iTunes fonctionnerait...

— Merde! s'écrie Marilou.

— Personne n'a pensé à ça? dit Océane en fouillant dans ses poches.

Ses énormes cache-oreilles roses me font envie. Mes oreilles sont rouges. Elles picotent même un peu. C'est qu'il fait beaucoup plus froid qu'hier. Mike Lambert ne récoltera certainement pas l'eau d'érable aujourd'hui!

Je trouve un vieux vingt-cinq sous au fond de la poche de mon manteau.

— Tiens, en voilà un !

— Et un autre ! s'excite Marilou.

— Bon, maintenant, il ne faut pas les laisser tomber. Ce n'est pas le moment de les perdre dans la neige.

Emma glisse les pièces dans la fente prévue à cet effet avant de composer rapidement le numéro de Marilou. Je souffle un nuage de buée.

— J'espère que ton père est à la maison.

Une éternité semble s'écouler, rien ne se passe. Le visage de Marilou se décompose.

— Aucune réponse ?

Emma nous fait signe de nous taire, puis elle pince son nez à l'aide de son pouce et de son index pour changer sa voix.

— Monsieur Cormier, s'il vous plaît.

Je ne sais pas si son imitation est crédible, mais c'est très drôle de l'entendre parler ainsi.

— Oui, bonjour, monsieur, ici… euh…

Elle me jette un regard paniqué ! Le nom de ma tante ! J'ai oublié de le lui dire.

— Monique !

Emma fait mine d'éternuer.

— Excusez-moi, la grippe est mauvaise cette année.

Marilou soupire de soulagement, Emma est parfaite. Elle se lance dans l'explication de son allergie au sirop Robitussin, du temps froid qui traîne pour un mois d'avril, de son amour pour sa nièce – moi – et du drame qui touche toute la famille. En résumé, elle parvient à faire avaler la pilule à monsieur Cormier en claquant des doigts. Impressionnant ! Elle raccroche, satisfaite de sa performance.

— C'est réglé !

Du moins, c'est ce que nous croyions...

33
Malédiction

Nous retournons à l'école en gambadant, le cœur à la fête.

— Je vais enfin danser un *slow* avec Julien! sautille Marilou. Ça fait tellement longtemps que j'attends ce moment!

Son manteau brun ondule comme des vagues lorsqu'elle se déplace. Je lui envie sa souplesse; elle pourrait être danseuse de ballet tellement elle bouge avec douceur et précision. Elle sera une vraie princesse au bal.

— Fais attention, Marilou, il y a des plaques de glace sur le trottoir, la prévient Océane.

Je lance un regard de biais à Océane. Je dois repousser mon capuchon vers l'arrière pour mieux la voir. Elle n'a pas l'air dans son assiette, aujourd'hui. Marilou ne l'écoute pas et ne pense à rien d'autre que son petit bonheur. Ou sa victoire à pouvoir assister au bal.

— Emma, je vais t'envoyer des photos de ce que j'aimerais avoir comme coiffure! Tu verras, c'est facile à faire; on remonte les cheveux sur le dessus, mais je veux des mèches qui retomberont sur mes épaules.

Emma est la reine des cheveux. En plus des siens, elle adore ceux des autres. Quoiqu'elle n'ait pas réussi à enlever la gomme à mâcher qui est toujours collée près de mon toupet. J'examinerai le tout ce soir à la maison.

En attendant, Océane m'a prêté un bandeau sur lequel est écrit en grosses lettres blanches : « Dead Rock ». Pas vraiment mon genre.

— Oh oui ! s'exclame Emma en imaginant une coiffure pour Marilou, je pourrais te mettre la pince argentée que ma grand-mère m'a donnée…

Océane lève les yeux au ciel, exaspérée par la conversation. Elle semble moins emballée que nous par le bal. Toutefois, personne ne lui pose de questions. J'essaie de faire diversion.

— Dépêchez-vous, les filles, l'heure du dîner est presque terminée et je veux avoir le temps de mang… Aaahhh !

Très rapidement, je me retrouve sur le dos à fixer le ciel gris. Trois visages se penchent au-dessus de moi.

— Ça va ? demande Océane.

— Qu'est-ce qu'on me disait tantôt… qu'il y a de la glace sur le trottoir ?

Je fais une grimace à Marilou, attrapant sa main pour me relever. Je secoue mon pantalon.

— Bon, allons-y !

Déterminée, je m'élance dans la rue, mais Océane m'empoigne immédiatement le bras.

— Qu'est-ce que tu fais ? Il faut regarder avant de traverser !

Je tourne la tête. Un camion s'en vient à bonne allure sur la gauche. Océane m'observe étrangement. Elle a mis beaucoup de mascara, ses cils sont trop épais pour leur longueur, ce n'est pas très joli.

— Si je compte les événements qui te sont arrivés, la gomme dans tes cheveux, ta chute sur la glace et maintenant le camion qui manque de te frapper...

Marilou lui coupe la parole en soupirant.

— Océane, tu ne vas pas recommencer avec tes histoires de sorcières ? Ce sont des malchances, c'est tout.

— Trois malchances dans la même journée, c'est une malédiction. Sois prudente, Marguerite. Ce n'est pas le moment de passer sous une échelle ou de croiser un chat noir !

D'habitude, je ne suis pas superstitieuse, mais Océane réussit à me flanquer la frousse. Elle me fixe de son regard intense. On dirait qu'elle a du feu dans les yeux. Emma secoue la tête en me tirant par la manche.

— Viens, n'écoute pas ses histoires d'horreur.

34
En tête à tête avec Océane, la sorcière

Je prends un plateau, une serviette de papier, des ustensiles… La fourchette glisse de mes doigts et tombe sur mon
pied, puis sur le plancher sale. Entre un morceau de poulet
et un couteau qui a subi le même sort. Je jette un coup
d'œil à Océane, qui a les yeux grands comme les vingt-
cinq sous qui ont servi à faire l'appel téléphonique tout à
l'heure. Encore une malédiction, je suppose ?

Emma et Marilou devaient commencer leur travail de
géo. J'ai donc suivi Océane à la cafétéria, que j'ai affec-
tueusement surnommée «La soupe aux pois» en raison de
la couleur des murs. Mon amie m'attend avec son sac de
croustilles au ketchup et son Pepsi. Elle ne mange jamais
autre chose ? Je place sur mon plateau un yogourt aux
bleuets et un muffin aux carottes, que je lui refilerai en
douce.

J'avance lentement en surveillant mon verre de jus de
pomme quand mon pied bute contre quelque chose. Une
chaise ? Mon plateau tangue un peu à droite, un peu à
gauche avant d'être saisi par deux mains masculines. Un
des jumeaux Côté !

— Ouf ! Tu as frôlé la catastrophe, ce midi, toi !

— En effet, merci Olivier ! Ou Thomas… Je devrais
regarder où je marche la prochaine fois !

Je m'imagine avec mon assiette de spaghettis renversée
sur la tête.

— De rien, Marg!

Le jumeau s'éloigne sans me dire son nom. Une question me traverse l'esprit : les frères Côté seront-ils accompagnés au bal? Je souris. On ne doit pas s'ennuyer quand on passe toute une soirée avec eux!

Je rejoins Océane, qui sirote le fond de sa cannette de boisson gazeuse avec une paille.

— Décidément, Marguerite, tes planètes sont mal alignées aujourd'hui!

Les planètes, maintenant! Je lui tends le muffin et le yogourt que je lui ai achetés.

— Voilà, c'est pour toi. Tu peux bien halluciner toutes sortes de malédictions si tu te nourris seulement de cochonneries!

Elle accepte ma remarque sans rien dire, mais je vois dans ses yeux qu'elle a déjà l'eau à la bouche de croquer dans un muffin chaud et moelleux.

— J'ai hérité du don de ma mère, je deviendrai une sorcière comme elle! Elle voit les morts, prédit les catastrophes…

— Ah ouin?

Mon ton sceptique ne l'étonne pas. Je n'ai jamais cru en ces choses-là. Je mords dans un bout de pain.

— Tu es arrivée à l'Île-Ville en janvier dernier?

Océane penche la tête vers l'arrière pour faire descendre les dernières miettes de croustilles dans sa bouche. Elle lèche le bout de ses doigts.

— C'est ça. Mon père s'est remarié. Sa nouvelle femme a trois enfants… Il n'y avait pas de place pour moi dans sa maison.

Le spaghetti est très bon. Même si les pâtes sont un peu trop cuites, la bouffe de la cafétéria est excellente.

— Tu habites donc avec ta mère ?

Les yeux d'Océane s'assombrissent. Elle baisse le regard sur le gros muffin aux carottes qu'elle tient entre ses doigts.

— Si on veut. Elle vit la nuit et dort le jour. Elle a ses préoccupations…

— Elle travaille de nuit ?

Je crois que j'aurais peur de dormir toutes les nuits seule à la maison. Océane éclate de rire.

— On peut dire ça. Elle navigue tout le temps sur Internet pour jouer à la loterie ou clavarder avec des hommes riches. Elle dit qu'elle en trouvera bien un pour nous donner une belle vie.

Pas étonnant que sa mère voie des morts-vivants si elle s'invente des histoires sur Internet. Je déduis donc qu'Océane passe la majorité de son temps seule.

— Viens souper à la maison de temps en temps. Mes parents travaillent souvent tard le soir.

À la différence d'Océane, je ne manque de rien. Ma mère me prépare des petits plats et elle m'appelle pour savoir si tout marche comme sur des roulettes. Je peux aussi arrêter les voir quand je veux à l'épicerie.

— Ne t'en fais pas pour moi, ajoute Océane, la bouche pleine, je m'arrange. Si j'ai l'air bête aujourd'hui, c'est que j'ai raté le dernier examen de maths. Je n'y comprends rien et, si ça continue, je vais devoir recommencer mon année au complet.

Elle dévore le muffin en un temps record, comme si elle n'avait rien mangé depuis trois jours. J'ai presque envie de lui proposer mon biscuit au chocolat que je gardais pour dessert.

— Les mathématiques ne sont pas ma matière favorite, mais je peux essayer de t'aider.

Un vacarme nous fait sursauter. Plusieurs élèves autour de nous font aussi un soubresaut. J'étire le cou pour mieux voir. Un tube fluorescent est tombé du plafond!

— Je t'avais dit que c'était une journée dangereuse pour toi! Tu es passée à ça de recevoir un néon sur la tête.

Je vais finir par la croire!

35
Veux-tu venir au bal avec moi?

Océane a contaminé ma conscience avec ses histoires de sorcières. Voilà que je marche prudemment, que je surveille la moindre fissure sur le plancher qui pourrait me faire trébucher. Je devrais peut-être m'attarder au plafond aussi...

Je m'arrête à quelques mètres de mon casier. Un garçon est adossé contre la porte.

J'ai une lueur d'espoir, mais non, ce n'est pas Mike Lambert. Il est moins grand, plus enrobé. Ses cheveux sont rasés. Il sourit lorsqu'il m'aperçoit. L'espace entre ses incisives est si large qu'on pourrait y glisser un bâtonnet de réglisse.

— Salut, Marguerite!

Oh! Il parle sur le bout de la langue. Est-ce qu'il est dans mes cours? Je ne l'ai jamais remarqué...

— Allô.

Je m'approche en prenant toujours soin d'observer ce qui pourrait se retrouver sur mon chemin. J'évite un bout de gomme à effacer, un vieux crayon...

— Est-ce que tu es accompagnée pour aller au bal? demande le garçon, le visage empourpré.

Il est plus petit que moi. Je dois baisser la tête pour croiser ses yeux. Je comprends aussitôt tout le courage dont il a dû s'armer pour venir me parler. C'est admirable. Cependant, je n'ai rien contre les garçons plus petits, mais…

Je réponds du bout des lèvres.

— Je ne suis pas encore certaine d'y aller.

Mon mensonge sonne faux. Ma scène d'hier avec Rosianne prouve le contraire, toute l'école sait que je vais au bal.

— J'ai personne pour m'accompagner, viendrais-tu avec moi ?

Ses doigts s'emmêlent, il balance son poids d'avant en arrière. J'ai envie d'accepter tellement il fait pitié.

— Euh…

Un élève passe en coup de vent derrière moi. Le garçon timide s'écarte devant la silhouette qui le domine. Mike ouvre la porte de son casier avec détermination. Il prend son sac pour y lancer ses livres.

— Ça va ? que je souffle doucement.

Mike s'immobilise pendant quelques secondes avant de me regarder. Son œil a viré du mauve au bleu foncé.

— Je suis désolé pour notre rendez-vous de ce matin.

Un million de questions se bousculent dans ma tête. Je ne sais pas par où commencer.

— Ne t'en fais pas pour ça. Qu'est-ce qui est arrivé à ton visage ?

Il reprend sa tâche et continue de tout ranger dans son sac ; ses gestes sont brusques. Il claque la porte de son casier en jetant son fardeau sur son épaule.

— On se voit au bal!

C'est vrai, c'est congé demain : journée pédagogique. Mike est déjà hors de portée de vue. Envolé, encore une fois. Je me retourne, le garçon aux dents croches a disparu lui aussi.

36
Une erreur dans le plan des girls

Je n'ai rien écouté du cours de madame Couillard. Mike a envahi ma tête. Que s'est-il passé? Pourquoi est-il venu à l'école? Que fait-il en ce moment? Je dois trouver des réponses à mes questions, sinon je vais devenir folle. Je n'ai même pas mangé de collation cet après-midi, ce n'est pas normal!

J'ai laissé Emma et Marilou au coin de la rue. Elles étaient à ce point excitées par tous les préparatifs pour le bal demain soir qu'elles n'ont pas remarqué l'inquiétude sur mon visage. Mon air de bœuf, comme dirait mon père!

— On se donne rendez-vous sur la page du Club des Girls plus tard en soirée? m'a crié Emma avant de monter dans l'autobus.

Je marche d'un pas rapide. Je préfère devancer les jumeaux Côté. Je n'ai pas envie d'être au cœur de la guerre des tuques encore ce soir. Je fais attention aux plaques de glace, je regarde deux fois avant de traverser la rue… J'espère surtout ne pas croiser de chat noir.

J'ai une idée pour mieux comprendre ce qui arrive à Mike, mais je dois d'abord dire deux mots à mes parents.

Les portes automatiques de l'épicerie s'ouvrent sur mon passage. Je reçois une bouffée de chaleur qui me fait du bien. Ça sent le bon pain frais qui cuit. Je trouve ma mère à quatre pattes dans l'allée des pâtes alimentaires; elle est en train de placer la nouvelle marchandise.

— Bonjour, maman !

Elle lève les yeux de sa boîte de macaroni. Ses sourcils sont froncés. Elle est probablement étonnée par mon ton joyeux.

— Depuis quand tu me dis bonjour en arrivant de l'école ? As-tu une faveur à me demander, Marguerite ?

Je pince les lèvres pendant qu'elle se relève en secouant ses genoux poussiéreux.

— Non non…

Je devrais suivre des cours d'Emma pour apprendre à mentir ! Ma mère croise les bras sur sa poitrine.

— Au fait, je croyais que tu allais à un bal, demain soir. Est-ce toujours le cas ?

Hmmm, où veut-elle en venir ? Je recule pour laisser une vieille dame regarder le présentoir de sauces à spaghetti. Ma mère lui donne quelques conseils, ça me permet de gagner du temps.

Je décide d'y aller avec une réponse neutre.

— Je n'ai pas encore décidé. Pourquoi ?

— Parce que le père d'une de tes copines est passé me voir en me disant que vous alliez plutôt au cinéma avec tante Monique.

J'ai le vertige. C'était évident que monsieur Cormier ne se contenterait pas d'un simple appel ! C'est trop facile à la campagne d'obtenir les précisions que l'on veut. On aurait dû y penser.

— Il a dit autre chose ?

154

Ma mère se penche pour ramasser une boîte vide.

— Non, mais il m'a souhaité bonne chance avec ma santé. Marguerite, qu'est-ce que ça veut dire ? On ne parle plus à tante Monique depuis des années !

Oh non ! Il a bien dû voir que ma mère est en pleine forme et qu'elle est loin d'être en phase terminale d'un cancer au cerveau. Il faut que j'avertisse Marilou !

Plus tard.

Pour l'instant, j'ai quelque chose d'encore plus urgent à faire.

— Je ne sais pas ce que ça veut dire, maman. Je demanderai à Marilou. Je me sauve, je vais faire une promenade dans le sentier devant la maison, d'accord ? Ne t'inquiète pas, je le connais bien et j'apporte une collation !

— On en reparlera, Marguerite ! Et habille-toi chaudement, ma puce ! me crie ma mère alors que je franchis la porte. Ah oui, l'accès Internet est activé à la maison…

37

La cachette de Mike

Comme le Petit Poucet qui sème des cailloux pour retrouver son chemin, j'examine le sol pour suivre mes traces de la veille dans la neige. Heureusement, elles ont durci avec le froid, je ne suis pas perdue! Je ne veux pas m'égarer une deuxième fois. Je marche rapidement pour garder ma chaleur. Je constate à quel point j'avais fait un grand détour hier en essayant de trouver la maison de Marilou.

Pour l'instant, je n'ai qu'un but en tête : retourner là où j'ai croisé Mike. Il habite tout près et j'ai besoin de lui parler, de savoir ce qui se passe.

J'aperçois un énorme bouleau sur lequel on a cloué une affiche : «Terrain privé». Étrange, je ne me souviens pas de l'avoir vue hier. Je ralentis le pas, remarquant un toit rouge un peu plus loin. Un filet de fumée s'échappe de la cheminée. Il s'agit d'une cabane en bois rond. À première vue, je dirais qu'elle est grande comme la salle à manger chez moi, peut-être un peu plus.

Pour quitter le sentier, je dois enjamber un tronc d'arbre couché au sol. Ah non, j'ai mis la main sur de la gomme de sapin. Les gants de Mike seront collants par ma faute. Vraiment, ce n'est pas mon jour de chance avec les gommes! Je me penche pour éviter les branches qui me fouettent le visage. Mon regard tombe sur des seaux accrochés à un chalumeau. Serait-ce la maison de Mike?

Je n'avais pas remarqué le gros chien attaché à la rampe d'escalier. Il se redresse en jappant lorsqu'il me voit bouger.

Son poil fourni devait être blanc jadis, car son lustre a jauni ; actuellement, ses pattes sont brunes. Il s'étrangle avec sa laisse chaque fois qu'il bondit dans les airs pour me prouver qu'il est de garde. D'ailleurs, il crée un vacarme d'enfer en provoquant la chute d'une chaise berçante pleine de neige et d'une paire de raquettes à force de tirer sur ses liens.

Je recule par réflexe, comme s'il pouvait me sauter au visage. Ses crocs sont pointus, prêts à me déchiqueter en morceaux.

La porte s'ouvre lentement. Un homme en chemise à carreaux et en bottes de caoutchouc se dresse sur le seuil.

— Ta gueule, Rex ! Imbécile…

Ses cheveux sont grisonnants et une bouteille de bière pend au bout de ses doigts. Le chien ne se calme pas. Au contraire, il a des ressorts dans les pattes ! Le pauvre reçoit un coup de pied dans les côtes, puis s'affaisse contre un poteau de la galerie.

— Je t'ai dit de la fermer, cabot !

J'ai mal au cœur de voir qu'il y a encore des êtres humains qui maltraitent les animaux ! Il mériterait le même sort, ce vieux con ! Oh ! Il relève la tête comme s'il m'avait entendue penser.

— Qu'est-ce que tu fais là, petite ?

Je déglutis. Ses mains sont sales, son visage aussi… Il est instable sur ses jambes, même s'il arbore la posture d'un homme qui veut se battre contre quiconque se trouvera sur son chemin !

— C'est écrit « Terrain privé », tu ne sais pas lire ?

Sa voix est rauque. Il se racle la gorge pour cracher à ses pieds ce qui gênait son gosier. Je recule en faisant attention aux arbres renversés çà et là. Je veux déguerpir avant qu'il lance son chien à mes trousses. Je me suis trompée, ce n'est certainement pas la maison de Mike ici.

— Désolée, je ne suis pas au bon endroit !

— Marguerite ?

Je m'arrête. Je n'entends plus que ma respiration saccadée et le larmoiement du chien – Rex – qui lèche son pelage. Mike apparaît dans mon champ de vision. Il semble provenir d'un autre sentier derrière la cabane. Il ne porte qu'une veste entrouverte.

— Qu'est-ce qui se passe, p'pa ?

« P'pa ? »

L'homme lance sa bouteille de bière vide dans la cour. Mike se penche pour la ramasser et la mettre dans une boîte. Ce n'est sûrement pas la première fois qu'il fait ce geste…

— C'est à cause de la petite, là-bas, grogne-t-il en pointant dans ma direction. Elle a réveillé Rex.

Une ombre de colère traverse les yeux de Mike alors qu'il s'étire pour gratter la tête du chien, qui est toujours couché sur le côté. Le pauvre animal semble souffrir.

Il me lance un regard désolé.

— Attends-moi un instant.

Mike saute les trois marches du perron qui le mènent directement devant son père. Il est presque aussi grand que lui.

— Ça va, je m'occupe d'elle, retourne te coucher, p'pa.

Il empoigne le bras de son père d'une main pour le pousser à l'intérieur. Le genre de geste qui me ferait perdre l'accès à Internet pendant toute une année si j'osais agir de cette manière avec mes parents. La porte se referme. J'entends des meubles qui se déplacent, des voix en sourdine.

Le chien allonge ses pattes devant lui pour mieux y déposer sa tête. Il me regarde avec de grands yeux tristes. Les mains croisées, j'attends la suite, le cœur battant.

38
La suite

Je compte jusqu'à cent… en ordre croissant, puis en ordre décroissant. Ça occupe mon esprit, mais surtout ça m'empêche d'écouter le branle-bas de combat à l'intérieur. Lorsque Mike ouvre de nouveau la porte, j'en étais à revoir les tables de multiplication.

$2 \times 2 = 4$; $2 \times 3 = …$

— Qu'est-ce que tu fais ici?

Il s'est revêtu d'un manteau sans prendre la peine de le boutonner. On pourrait croire qu'il est fâché au ton de sa voix, mais c'est de la honte que je peux lire dans ses yeux. Je peux comprendre son état, ça n'a pas l'air très joyeux chez lui.

Ouais, bon, qu'est-ce que je faisais ici déjà?

J'avance de quelques pas hésitants.

— Je m'excuse, je ne voulais réveiller personne.

Mike met un certain temps à réagir. M'a-t-il vraiment entendue? J'ai soudainement un doute. Il descend du perron, puis s'approche pour tirer doucement sur ma manche.

— Viens, allons discuter plus loin.

Le chien se redresse en position assise en inclinant la tête, comme s'il nous surveillait. Bien qu'il soit maculé de poussière, il est mignon. On trouve ici un tracteur rouillé, là une corde de bois, et là des outils… La cour est immense et entourée d'arbres. Mike s'arrête devant une énorme souche à moitié pourrie. Il y dépose un pied de façon à appuyer un coude sur son genou. Il paraît encore plus grand et plus costaud avec son épais manteau.

— Je voulais te redonner tes gants, que je dis sans grande conviction.

Il n'y a aucune expression sur son visage. Seulement ce regard voilé qu'il me fait un peu trop souvent. Embarrassée, je retire les gants en vitesse.

— J'ai touché à de la gomme de sapin et… je peux essayer de les laver, mais…

— Marguerite!

J'arrête aussitôt mon discours qui n'allait nulle part. C'est la première fois qu'il prononce mon prénom. C'est beau dans sa bouche. Je relève la tête pour croiser son regard complètement perdu.

— Parle, je n'aime pas les détours. Pourquoi es-tu ici?

Je secoue vivement les épaules. Même s'il fait imposant, il n'est pas intimidant pour autant. J'inspire un bon coup. L'air froid dans mes poumons me calme et je parviens à me concentrer sur ce que je voulais lui dire.

— Je me suis inquiétée de ton absence ce matin, et quand j'ai vu ton visage…

Mike repose lentement son pied au sol, puis glisse ses mains dans ses poches.

— J'ai tout fait pour ne pas rater notre rendez-vous. Ce qui est arrivé était hors de mon contrôle et je n'avais aucun moyen de te joindre.

— J'ai entendu William et Rosianne comploter. Dis-moi que ce n'est pas lui qui t'a fait ça ?

Je le vois se raidir, peut-être que je n'aurais pas dû poser la question ! Soudain, j'ai peur de connaître la réponse.

— Non, ce n'est pas William. Mais il a fait bien pire.

Ses lèvres se retroussent, il se met à cracher les mots comme du venin.

— Le petit merdeux a tenté de s'en prendre à mon chien. Il l'a détaché et j'ai dû courir pendant une heure pour le rattraper.

Mike bouillonne de rage, j'ai même l'impression qu'il tremble. L'attachement qu'il a pour Rex est palpable. Il se domine quand il voit mon expression incertaine.

— J'ai roulé dans un fossé, je me suis frappé la tête. Voilà la fin de l'histoire.

Je meurs d'envie de lui demander pourquoi il est venu à l'école par la suite. De quoi a-t-il discuté avec le directeur ? Mais ce n'est pas le moment. D'ailleurs, il soupire en entendant son père crier son nom au loin.

— Tu ferais mieux de rentrer avant qu'il fasse noir.

J'acquiesce d'un léger mouvement de tête. Nous remontons la cour lentement, côte à côte, comme si nous nous connaissions depuis toujours.

— Tu n'aurais pas dû venir jusqu'ici. Désolé pour la scène plate dont tu as été témoin ! Mon père n'est pas très sociable, tu comprends, dit-il songeur. Il faut dire que moi non plus…

Son père, pas très sociable ? Il m'enlève les mots de la bouche ! J'étais sur le point d'appeler la DPJ ! Je ne peux pas croire qu'il vit dans cette ambiance-là vingt-quatre heures sur vingt-quatre. J'ai carrément envie de lui demander si son père le maltraite, où se trouve sa mère, s'il mange à sa faim ! À quoi bon tourner le couteau dans la plaie ? Ça ne changerait rien. Malgré tout, mon cœur se serre de le savoir isolé avec un tel monstre.

Les anciens propriétaires de notre maison ont laissé un divan-lit au sous-sol, la nourriture déborde des armoires étant donné que mes parents possèdent une épicerie. Je voudrais l'amener chez moi et lui offrir un endroit confortable, un repas chaud. Je sais, je crois encore au père Noël.

— J'espère que ton patron n'a pas été trop désagréable hier soir ? Il n'avait pas l'air très content.

Il sourit en me regardant de biais.

— T'en fais pas, j'ai déjà entendu pire. Et puis, je fais ce qu'il veut, j'ai vraiment besoin de gagner de l'argent si je tiens à partir d'ici…

Encore le même discours. Il n'a pas idée de ce qu'il crée comme vide dans ma poitrine quand il parle ainsi. Nous arrivons à la hauteur du sentier. Je dois le quitter maintenant.

— On se voit au bal ?

C'est plus fort que moi, je dois absolument savoir. Peut-être a-t-il changé d'idée, compte tenu de tout ce qui s'est passé aujourd'hui ! Ce que je vois sur son visage me renverse. Pas ses blessures, mais l'élan de douceur, ses yeux protecteurs…

— Oui, bien sûr.

Mon cœur s'emballe. Je voudrais claquer des doigts et me retrouver en belle robe longue, au centre d'une piste de danse. Je veux être demain soir ! Comment vais-je faire pour attendre encore vingt-quatre heures ?

— As-tu besoin de quelque chose ? que je demande en cachant mal mon excitation. Je peux emprunter une cravate à mon père… ou des souliers.

Très vite, je me rends compte de ma maladresse. Est-ce que je viens de l'insulter en lui offrant des accessoires de base ? À mon grand soulagement, il hausse un sourcil en souriant.

— Je veux bien aller au bal avec toi, mais ne t'attends pas à ce que je porte une cravate !

C'est beau de le voir rire. Pourtant, je suis complètement figée. Il a dit : « Je veux bien aller au bal AVEC toi. » AVEC MOI. J'ai mal compris. Je dois rêver et je vais me réveiller avec l'alarme de Mickey Mouse sur la table de chevet à côté de mon lit qui chante « Good morning, welcome to Disney Land ».

Non, Mike est toujours là, bien réel devant moi.

39
Réunion du club

Je me précipite sur mon portable. Mes parents sont encore au travail, c'est parfait, j'aurai la paix. Windows s'ouvre avec une lenteur exaspérante, j'appuie sur la touche *Enter* de façon compulsive – takatakatak ! – comme si le processus allait miraculeusement s'accélérer. Je regarde l'écran s'allumer en trépignant d'impatience. J'espère que les filles sont branchées !

Par chance, ma mère m'a laissé le mot de passe du WiFi sur un bout de papier. *Famillelafleur333.* Je le dépose près du clavier. J'enfouis ensuite mes mains sous mes fesses pour les réchauffer. J'ai couru pendant tout le chemin du retour, tellement j'étais énervée.

Enfin, la photo de mon chat Caramel apparaît à l'écran. C'est prêt ! Cependant, avant même d'ouvrir la page Facebook du Club des Girls, je vois une notification en rouge dans mes messages privés. Je clique.

Mon cœur cesse de battre.

Rosianne Blais | + **Nouveau message** | ⚙ **Actions** | 🔍

16 avril

 Rosianne Blais   16:00

Ne t'emballe pas trop vite, la grande! Mike ne va pas au bal pour les raisons que tu crois! Il est à MOI, compris? Tiens-toi loin!

Ce n'est qu'un avertissement! Sinon je dis à tout le monde que tu as essayé d'embrasser le prof de gym.

Répondre

C'est ce qu'on appelle passer par toute une gamme d'émotions dans la même minute. De la joie à la colère. De l'excitation au doute.

Je déteste Rosianne Blais. Je la déteste, je la déteste... JE LA DÉTESTE!

Je me retiens de ne pas lui répondre sur-le-champ. De lui dire n'importe quoi qui me défoulerait! Je pourrais lui écrire que Mike et moi avons *frenché* pendant dix minutes tout à l'heure dans un banc de neige, juste pour lui prouver qu'elle ne peut pas tout contrôler! Si Rosianne était devant moi, je lui collerais un paquet de gomme au complet dans ses beaux cheveux blonds, je mettrais du lave-glace dans son verre d'eau, j'embrasserais Alex, le prof de gym, pour lui prouver que je n'ai pas peur de ses rumeurs idiotes, je…

Je me montre courageuse devant elle et mes amies depuis mon arrivée à l'Île-Ville. Faire face à sa tête de princesse qui se pense au-dessus de tout le monde, c'est plutôt facile et même amusant. Mais là, recevoir des menaces, j'aime moins ça. Sa jalousie prend des proportions démesurées. Au fond, quand on y pense bien, il ne s'agit que d'un bal… que d'un garçon.

J'essuie du revers de ma manche une larme de rage qui coule au coin de mes yeux, puis, la main tremblante, je clique sur la page du Club des Girls. Je passe un doigt sur le bracelet qui orne mon poignet; mon Dieu, faites que mes amies soient en ligne.

Emma et Océane sont là! Elles s'échangent des photos de coiffure. J'interromps leur conversation sur «Comment faire un chignon en dix étapes».

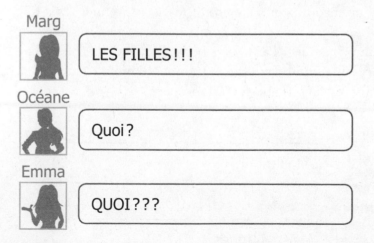

Marg

LES FILLES!!!

Océane

Quoi?

Emma

QUOI???

Marilou est maintenant en ligne. Parfait! Juste au bon moment.

Marg

Allô Marilou! Bon, les girls, je suis allée voir Mike chez lui!

Océane

Hein! Tu as fait ça?

Marilou

Ooooohhhh! Et puis?

Marg

Il a dit qu'il voulait venir au bal AVEC moi!

J'ai encore peine à y croire, c'est la première fois que je vais à un vrai bal. Accompagnée, en plus! Et pas par n'importe qui… Par le plus beau garçon de l'école qui ne sort jamais du bois et qui se moque du monde en général. Dans les circonstances, c'est inespéré!

Marilou

Aaaaahhhh!

Emma

Mais… attends…

Marg

> Quoi?

Emma

> Moi, j'ai vu William tantôt et il m'a dit que le directeur avait obligé Mike à aller au bal...

Je fronce les sourcils. J'ai l'impression que les lettres dansent sous mes yeux, que les mots se mélangent. Obliger Mike à aller au bal? Qu'est-ce qu'Emma raconte?

Océane

> Pourquoi un directeur obligerait un élève à aller au bal?

Marg

> Oui, hein, pourquoi?

Ça n'a pas de sens dans mon esprit, même si les propos de Rosianne me font douter. «Mike ne va pas au bal pour les raisons que tu crois...» Sait-elle quelque chose? A-t-elle raison? Suis-je en train de me faire avoir par l'insondable casier 137?

Emma tarde à répondre et ça me fait flipper. Je ronge l'ongle de mon pouce à la vitesse d'un lapin qui aurait bu quatre cafés. Quoique je n'aie jamais bu de café, mais ma mère devient un vrai lapin Energizer quand elle en prend trop.

Emma

(Désolée, mes petits frères ont envahi ma chambre!) Je n'ai pas les détails, William ne m'en a pas dit plus, seulement que le directeur avait été ferme après sa rencontre avec Mike ce matin, il devait participer à l'activité.

Alors Mike Lambert ne va pas au bal par pur plaisir de me voir dans une belle robe, mais par obligation. J'aurais dû y penser… un gars comme lui ne s'intéresse pas aux flaflas d'une petite fête un vendredi soir à l'école. Il aurait pu me le dire, à la place de jouer le joli garçon qui vient au bal AVEC moi!

Mon coude s'appuie lourdement sur le coin de mon bureau, mon menton retombe au creux de ma main, mon cœur défaille. Je me sens nulle. J'ai eu l'air d'une belle idiote en parlant de cravate à Mike! J'ai vraiment cru qu'il voulait m'accompagner. J'ai encore dans ma tête l'image très claire de ses yeux lorsque nous en avons discuté. Il était sincère! Je n'y comprends rien…

Une information me revient à l'esprit. Mes doigts ne bougent pas assez vite sur mon clavier pour écrire le fond de ma pensée. Emma doit savoir!

Marg

Parlant de William. Emma, tu sais que c'est à cause de lui si Mike a raté son rendez-vous avec moi ce matin?

Emma

> Euh...

Océane

> Oh ! Un potin croustillant ?

Marg

> Il s'est rendu chez Mike pour détacher son chien de sa laisse. Mike a dû courir pour le rattraper et c'est comme ça qu'il est tombé en se cognant la tête !

Emma

> ...

Océane

> Ouin, ce n'est pas très gentil, ça...

Emma

> C'était sûrement l'idée de Rosianne. Elle utilise William pour faire ses mauvais coups !

Évidemment, ce n'est pas la faute de son beau *bad boy* ! Il est vrai qu'avec Rosianne, tout est possible. Elle peut très bien manipuler William aussi.

Marilou

> Il y a autre chose...

Océane

> Quoi encore? (soupir)

Emma

> Rosianne?

Le simple fait de lire son nom me fait grincer les dents.

Marilou

> Oui, c'est au sujet de Rosianne. Elle raconte à tout le monde que Marguerite a essayé d'embrasser le prof de gym dans le couloir.

Elle a déjà mis ses menaces à exécution! Elle est rapide sur la gâchette, la chipie. C'est évident qu'elle a saisi que j'espionnais sa conversation avec William ce matin lorsque je me suis retrouvée devant les vestiaires. Alex était arrivé derrière moi en m'interpellant. Elle a dû l'entendre et comprendre que je les écoutais. Merde!

Emma

> Elle dit aussi que tu te promènes sans soutien-gorge, Marg. C'est vrai, ça?

La vache est en train de me bâtir une belle réputation. Comment vais-je faire, maintenant, pour mettre les pieds au bal sans m'écrouler de honte ? Déjà que je suis la petite nouvelle dont tout le monde se méfie encore. Je soupire en me prenant la tête à deux mains. Non, je ne peux pas y aller...

Marg

> Les filles, je ne peux plus aller au bal...

Emma

> Non, ne fais pas ça, ne lui donne pas raison ! Surtout que Mike sera là ! Il ne faut pas laisser paraître à Rosianne que tu as peur d'elle, voyons, c'est ce qu'elle veut.

Marilou

> Marguerite, peu importe ce que raconte cette peste, tu dois te montrer plus brillante qu'elle ! Te cacher serait la pire chose à faire ! On va s'occuper de te faire une beauté, et Mike Lambert bavera d'admiration pour toi. Rosianne le veut à tout prix, ça, on le sait depuis le début, mais elle ne peut pas décider pour lui. On se fout des raisons pour lesquelles il se présente au bal, l'important est qu'il soit là. Tu feras fureur, et personne ne s'intéresse aux rumeurs du clan de Rosianne.

Emma

Tu parles bien, Marilou! Tu as tellement raison! On se moque de Rosianne Blais et on passe une belle soirée demain. De toute façon, Marguerite, on sera là pour te défendre, n'est-ce pas, groupe?

Océane

Oui! Mike aussi sera là pour voler à ton secours lol

Marilou

J'en suis certaine! ;)

Marg

Ah! Arrêtez, les filles, ce n'est pas le moment de me niaiser avec lui!

Emma

C'est vrai! Il a une façon de te regarder... ça crève les yeux!

Marilou

En fait, il ne regarde jamais personne! Alors c'est certain qu'il n'en a que pour toi. Chanceuse!

Océane

Pas très gentil pour ton Julien, ce que tu viens de dire, Marilou.

Marilou

Ha ! Ha !

Marg

Hé ! J'allais presque oublier ! Marilou, ton père est passé voir ma mère à l'épicerie aujourd'hui.

Marilou

Ah non ! Je savais qu'il ne pourrait pas s'en empêcher ! Il faut vraiment qu'il me gâche la vie ! Des complications en vue ? Il a posé des questions ?

Marg

Il lui a souhaité bonne chance avec sa santé. Disons que ma mère m'a posé des questions. Je ne sais pas s'il se doute de quelque chose.

Océane

Bon, qu'est-ce qu'on fait ?

Marilou

On continue à suivre le plan ! Il est trop tard pour reculer, on est si près du but ! Ça va fonctionner.

Emma

OK, alors on récapitule.

Océane

Je vous rejoins chez Emma en fin d'après-midi après mon rendez-vous chez le dentiste. Préparez du Jell-O et des petits biscuits mous...

Marilou

On te fera boire du jus avec une paille, Océane !

Emma

Je passerai ton souper au malaxeur...

Océane

Ark !

Marilou

OK, je pars de chez moi à quinze heures en laissant une note à mon père disant que, finalement, la tante de Marguerite vient nous chercher plus tôt que prévu. Je devrai faire vite, car c'est l'heure où mes parents font leur promenade quotidienne. En espérant que la température soit de notre côté, sinon ils resteront collés sur le divan avec un roman ! Dans ce cas, j'arriverai un peu plus tard, en priant pour que mon vieux n'insiste pas pour me reconduire et rencontrer la tante en chair et en os !

Emma

> Parfait, je vous attendrai. J'aurai un séchoir, un fer à défriser... Amenez votre vernis à ongles. N'oubliez pas vos robes, vos souliers... Je vous préviens, la maison est pleine d'enfants et on risque d'être un peu dérangées, mais je vous prépare une bonne pizza pour le souper !

Emma habite un château situé au bord du fleuve avec ses parents et ses trois jeunes frères. Son père est médecin !

Marg

> J'arriverai tôt ! Trop hâte de visiter ta belle maison, Emma ! Au fait, on se rend comment à l'école ? Je ne veux pas marcher dans la neige avec mes souliers à talons, quand même.

Emma

> William passe me chercher vers dix-huit heures trente. Il aura la voiture de son frère ! Il acceptera sûrement de vous conduire aussi.

Trop gentil.

Marg

> D'accord, je vous laisse. J'ai une gomme à enlever dans mes cheveux, si je veux être présentable demain !

Emma

> Oui, il faut en mettre plein la vue à Mike! Je vais maquiller tes yeux. As-tu du gloss?

Marg

> Euh...

Emma

> OK, laisse faire, j'en ai. À demain!

Océane

> J'ai du gloss, moi, mais il tire un peu sur le mauve. En tout cas, bye Marg.

Marilou

> À plus xx .

Marg

> À demain, les girls!

Je ferme Facebook avant d'avoir l'envie malsaine de répondre des insultes à Rosianne. Elle ne me fait pas peur, elle ne me fait pas peur, elle ne me fait pas... Allez, Marguerite, t'es belle, t'es bonne, t'es fine, t'es capable. Je vais devoir me le répéter toute la nuit si je veux arriver à y croire. En fait, je n'ai pas peur d'elle, j'ai peur de ce qu'elle peut dire ou faire. Qu'est-ce que Mike pensera de moi?

J'inspire profondément, il faut que je me le sorte de la tête. Ah ! j'ai trouvé ce qui m'effraie tant : j'ai peur d'être déçue.

Je tourne en rond dans ma chambre entre ma garde-robe, mon lit et mon bureau. Par quoi je commence ? J'ai beaucoup de choses à préparer pour demain. Enfin, seulement ma robe et mes souliers, mais ces derniers se trouvent je ne sais où dans toutes les boîtes de déménagement !

J'opte pour l'essentiel. Je tape rapidement sur Google : « Comment enlever une gomme dans les cheveux ». Il doit bien exister un remède miracle, un truc de grand-mère…

De l'huile d'olive !

Je fonce à la cuisine. Je suis certaine d'en trouver quelque part puisque ma mère ne jure que par les effets bénéfiques de l'huile d'olive sur le cholestérol de mon père. Le beurre est banni de notre maison depuis des années.

C'est ridicule, mais je ressens un énorme soulagement en dénichant une pleine bouteille de ce liquide oléagineux dans l'armoire. Première bonne nouvelle de la journée : au moins, je ne serai pas obligée de couper la mèche de cheveux gommée ! C'est toujours ça de gagné…

40
Un réveil brutal

J'ouvre les yeux en sursaut. Il doit être tard parce que le soleil est haut et que les rayons du printemps envahissent ma chambre. Je me redresse péniblement sur un coude en repoussant les cheveux de mon visage. J'ai l'impression d'avoir couru toute la nuit tant j'ai mal partout.

Onze heures.

Je me laisse retomber sur mes oreillers. J'ai tellement faim que j'ai un peu mal au cœur. Non, c'est le rêve – ou le cauchemar! – que je viens de faire qui me rend malade. J'en ai encore des palpitations. Mike me lançait un sourire arrogant avant de se pencher pour embrasser Rosianne. Eurk! Je vais vomir!

Je m'étire pour saisir mon iPod sur ma table de chevet. Je me fais une petite montagne de coussins dans mon dos pour être plus confortable. C'est *cool*, les journées pédagogiques! Et là, je veux vérifier si les filles m'ont laissé un message. C'est aujourd'hui le grand jour du bal.

Aucun nouveau message de Rosianne. Ouf!

Il y en a un de Joanie. Il date d'hier… Avec la journée folle que j'ai passée, je ne l'avais même pas vu!

À : Marguerite Lafleur

De : Joanie Drolet

Objet : Club de girls

Coucou,

Tu fais partie d'un club de girls ? Chanceuse… Je peux aussi, même si je suis loin ? Je me sens tellement seule depuis que tu es partie !

Écris-moi !

Ta best

Je soupire. Si Joanie vivait à l'Île-Ville, elle saurait quoi faire de cette Rosianne Blais. Elle a un meilleur sens des répliques que moi dans de telles situations. Je lui répondrai plus tard… Pauvre Joanie, je suis ici depuis seulement quelques jours, mais j'ai vécu tellement de choses en peu de temps que mon ancienne vie me paraît déjà loin.

C'est désert sur la page du Club des Girls. J'en profite pour lire les dernières publications. Océane a écrit il y a vingt minutes.

Océane

Départ pour le dentiste… À plus tard !

J'aime   Commenter   Partager   Il y a vingt minutes

Emma a fait le résumé de ses malheurs il y a deux heures :

Emma

Mon bouton est énorme ! C'est désastreux !

J'aime   Commenter   Partager   Il y a deux heures

Je presse mes cheveux entre mes doigts, ils sont encore huileux du traitement-choc à l'huile d'olive que je leur ai fait subir la veille.

Marg

J'ai vaincu la gomme dans mes cheveux ! À plus xx

J'aime   Commenter   Partager   Il y a quelques secondes

Je voulais fermer la page, mais mon index bifurque vers mes messages. J'appuie sur le nom de Rosianne pour voir son profil. Au fond, je ne la connais pas, et tout ce que je pourrais apprendre sur elle avant ce soir sera le bienvenu. Il faut bien préparer le terrain pour combattre l'ennemie !

Les informations contenues sur sa page ne sont pas accessibles au public. Puisque nous ne sommes pas amies – oh que non ! –, je ne peux en prendre connaissance. Ses photos, par contre, sont visibles à tous. Il y en a des centaines ! Je les défile rapidement en grimaçant.

Rosianne en bikini sur la plage.

Rosianne qui croque dans un hot-dog.

Rosianne assise sur le capot d'une voiture sport.

Rosianne et…

QUOI ? Je colle mon nez sur l'écran, j'essaie de grossir l'image. Rosianne tient mon soutien-gorge au bout de son bras. J'ai un haut-le-cœur. C'est laid comme tout ! Je plaque ma main sur ma bouche. Voulez-vous me dire pourquoi j'avais décidé de porter cette horreur ce matin-là ? Ai-je eu un élan de lucidité en me disant : « Allez, Marguerite, mets ton soutien-gorge le plus moche aujourd'hui, c'est parfait pour se faire des amies quand on se change dans le vestiaire » ?

Ah ! je me souviens : j'avais voulu mettre mon soutien-gorge noir brodé d'une petite dentelle pour me sentir belle. Première journée d'école, je devais être à mon maximum ! J'avais fouillé dans mes sacs sans le trouver, j'étais nerveuse et en retard, alors j'avais pris le premier sur le dessus de la pile. Le blanc. Simple, confortable, idéal pour faire du sport. Pas du tout *sexy* ! Il a l'air encore plus ordinaire entre les doigts de Rosianne.

Je n'aurais pas dû lire ce qui est écrit sous la photo :

« Je te donne un bisou au bal si tu trouves quelle fille ose porter ça ! Indices à venir… »

Les lèvres de Rosianne sont déjà arrondies, prêtes à embrasser le gagnant. De grosses lèvres pleines de *gloss* trop rouge. Ce n'est même pas beau ! Je lance mon iPod sur le lit avec un cri de rage, cours à la salle de bain. Ça, c'est le bout ! Un concours pour trouver à qui appartient le soutien-gorge vraiment affreux. Mon soutien-gorge ! Pfff ! Je vais aller me noyer dans la douche !

41
La maison d'Emma

Évidemment, je ne me suis pas noyée dans la douche, même si j'ai essayé ! Il y avait de quoi disparaître sous l'eau, après ce que j'ai vu ! En tout cas, je n'ai plus les cheveux huileux ! Vingt minutes sous le jet bouillant, trois shampoings et un revitalisant sont venus à bout de cette substance graisseuse. Malheureusement, ça n'a pas effacé de mon esprit l'image horrible que j'ai trouvée sur Internet. Une photo de mon soutien-gorge – le plus laid – circule sur les réseaux sociaux. Je suis retournée voir la publication : quarante-deux partages ! Les noms de toutes les filles de l'école sont énumérés, sauf le mien !

Une seule conclusion possible et évidente : il y a plus de gars que je croyais qui rêvent d'embrasser la grande Rosianne ! Il y a même des hommes plus vieux qui nourrissent ce même désir ! Aarrkk ! D'ailleurs, elle a donné son premier indice pour aider les malheureux concurrents à trouver la bonne réponse. « Celle à qui appartient ce chef-d'œuvre a un numéro de casier très intéressant ! Bonne chance ! »

Oui, bien sûr, mon casier, le 138, est juste à côté du 137. LE casier 137 avec son beau Mike Lambert. Grrr, elle ne lâche pas le morceau ! Elle le veut vraiment ! J'ai l'impression qu'elle a encore plus le béguin depuis que je le veux aussi… Difficile à suivre, tout ça.

Après plusieurs minutes de marche, je pénètre dans l'entrée chez Emma. L'allée de plusieurs mètres est pavée de pierres parfaitement alignées, et la vue sur le fleuve est tout à fait géniale. Je me sens toute petite devant sa maison. Elle est immense et comporte au moins trois étages, peut-être plus. Même en relevant la tête, je ne parviens pas à voir le pignon du toit! Comment changent-ils les ampoules des plafonds? Font-ils venir les pompiers? Une grue? Il y a des buts de hockey en plastique orange fluo dans la cour. Je me demande à quoi aurait ressemblé ma vie si j'avais eu des frères et sœurs. Tout le monde dit que c'est pénible, mais moi j'aurais bien aimé en avoir!

Ma robe bien emballée dans une housse de tissu est repliée sur mon avant-bras. J'ai mes souliers dans un sac que je retiens mollement du bout des doigts. Il balance au vent, tout comme mes cheveux encore humides. Je suis un robot depuis que tout le monde rit de mon soutien-gorge sur Internet. Les commentaires qui s'accumulent sous la photo ne sont pas très rassurants: «Ouache, on dirait celui de ma grand-mère!», «Je ne pensais même pas que ça existait encore dans les magasins, ce modèle-là!», «Nul». Il y a des pouces qui pointent vers le bas, des petits bonshommes qui font une grimace… J'ai l'esprit vide. Je ne sais pas quoi penser.

Mais qu'est-ce que je fais ici? Vais-je vraiment me pomponner avec mes amies pour aller à un bal qui sera en définitive un désastre? J'aurai l'air de quoi lorsque la belle Rosianne annoncera en grande pompe au micro que l'objet de la torture est à moi? Devrai-je prononcer un discours, féliciter le gagnant? Retourne chez toi, Marguerite, va te cacher la tête sous l'oreiller. Va pleurer en regardant le film *Cette fille, mon ennemie*.

La porte s'ouvre sous mes yeux un peu flous.

— Marguerite, qu'est-ce que tu fais là, plantée comme un piquet ? Entre !

J'ai tout un choc. Emma est en camisole devant moi, les cheveux remontés et le visage recouvert d'une substance gluante à mi-chemin entre le brun et le vert. Elle fait peur !

— C'est un masque, ricane-t-elle. J'ai un bouton à faire disparaître, tu comprends !

— Ah oui ! ton bouton…

Si elle savait à quel point j'échangerais mon problème de soutien-gorge contre tous les boutons de son visage ! Elle me tire à l'intérieur. Je manque de trébucher sur la marche en céramique que je dois enjamber. Je suis accueillie par des cris de monstres et de superhéros. Je vois passer deux Spider-Man au fond du couloir.

— Bonjour, ma belle ; c'est toi, Marguerite ?

La mère d'Emma me sourit gentiment, un linge à vaisselle sur son épaule.

— Oui, c'est moi.

— Les muffins au chocolat sortent du four, en voudrais-tu un ?

C'est chaleureux chez Emma. Ça sent bon, il y a des enfants qui courent dans chaque pièce de la maison, une maman qui passe ses journées à faire la cuisine… J'ai faim, je n'ai rien pu avaler pour déjeuner ! Mon amie attrape le plateau de muffins joliment disposés en pyramide.

— Merci, maman ! Viens, Marg !

Bon, j'imagine que je ferais mieux d'enlever mes bottes, les planchers sont luisants, ici ! Emma m'attend en haut de l'escalier, elle a laissé sa trace en montant. Son masque a coulé! Je la rejoins en gravissant lentement les marches, fascinée par la grosseur de la rampe. C'est du bois ça, mes amis!

— J'ai hâte de voir ta robe, dit-elle sans vraiment ouvrir la bouche pour ne pas absorber la crème miracle qui dégouline sur ses lèvres.

J'essaie de sourire, même si je n'ai pas tellement le cœur à la fête.

— Je veux voir la tienne avant!

— Emmaaaaaaa!

Je me retourne d'un bond. Trois jeunes garçons de trois à sept ans grimpent l'escalier à vive allure avec une épée en mousse à la main. L'un porte une cape noire et un masque à la Zorro.

— On nous attaque! crie Emma. Vite, dans ma chambre, juste en face.

42

La fugue de Marilou

Trois muffins au chocolat plus tard, je suis assise au milieu du lit d'Emma, pendant qu'elle me pose des rallonges capillaires. De belles mèches blondes. Je l'écoute parler de William en fouillant dans un sac rempli de flacons de vernis à ongles. Du rose, du mauve, du bleu, des brillants…

C'est réconfortant, le chocolat. Je me sens un peu mieux. J'essaie de me convaincre que Rosianne Blais ne me fera pas la peau ce soir. Je me persuade même que personne ne trouvera à qui appartient le soutien-gorge mystère. Ou que le vainqueur sera Christian qui sent la sueur. Bien fait pour elle! Je retrouve le sourire. Je veux passer une belle soirée. Je vais voir Mike, en plus! Peu importe les raisons pour lesquelles il va au bal, il sera là, et c'est tout ce qui compte.

Emma a nettoyé son visage. Le bouton sur son front est effectivement plus gros qu'hier. Elle a déjà aligné sur son bureau plusieurs fonds de teint. Plusieurs marques, plusieurs couleurs… Ce sera toute une opération camouflage! Pour l'instant, elle est surexcitée: «As-tu vu les muscles sous son chandail?» Tout y passe, ses grandes mains, ses beaux yeux, sa façon trop *sexy* de marcher. William, William, WILLIAM. Elle n'a que ça en bouche. Je me contente d'un «oui» peu convaincant à chacune de ses exclamations. Depuis que j'ai appris qu'il a tenté de faire du mal au chien de Mike, j'ai juste envie de lui arracher la tête, à cet insignifiant. Pauvre Rex…

Finalement, je choisis le vernis rose pâle. Je pourrai ensuite y ajouter des brillants. Ou y coller des petites fleurs. Ou des cœurs.

— Regarde ce que tu fais, Emma! Tu vas brûler mes cheveux.

Elle lisse chacune de mes mèches avec le fer à défriser. Un vrai travail de moine que je n'aurais jamais la patience de faire. Le résultat est très beau! Le problème, c'est qu'elle a aussi son iPod d'une main, qu'elle ne quitte pas des yeux.

— William ne répond pas à mes messages. Je n'ai pas eu de ses nouvelles depuis hier soir, pourtant je vois qu'il est branché. Il m'ignore carrément!

J'ai envie de relever un sourcil et de lui répondre: «Ça t'étonne?» Pour une fois, je tourne ma langue sept fois avant de parler. Emma voit William dans sa soupe, dans ses céréales le matin, dans ses rêves la nuit. Ça lui ferait de la peine si je lui disais ce qu'il est vraiment. Un trou de c**. De toute façon, elle ne me croirait pas.

— Je ne sais pas, il a peut-être un problème de connexion! que je dis pour l'encourager.

— Ouais, c'est ça, sûrement…

Emma se tait, passe lentement une mèche de cheveux entre ses doigts. Elle toussote pour se donner de la voix.

— As-tu vu la photo sur Facebook?

Je souffle sur mes ongles pour les faire sécher. Elle parle du soutien-gorge, c'est évident.

— Oui, ce matin, par hasard.

— Rosianne a écrit un nouvel indice, ajoute Emma.

Est-ce que je veux vraiment le savoir ? Emma braque son iPod sous mes yeux. Il est à ce point près de mes pupilles que je dois repousser sa main pour mieux voir. La première chose que j'aperçois : soixante partages. Ouf ! Ça me donne un coup au cœur. Au moins, je suis contente, Olivier Côté a écrit : « Franchement, vous avez du temps à perdre ! »

Le deuxième indice ? « La fille a essayé d'embrasser le prof de gym dans un couloir hier ! » Elle m'a clairement dit dans son message de me tenir loin de Mike, qu'elle me le ferait payer.

— C'est n'importe quoi ! Je n'ai rien tenté du tout !

Emma cache son iPod dans sa poche.

— Je sais…

Sa phrase reste en suspens parce que Marilou entre dans la chambre en coup de vent, l'air bête et essoufflé. Elle n'a même pas frappé ! Son sac à dos tombe par terre alors qu'elle se précipite à la fenêtre.

— Tu es poursuivie par Zorro, toi aussi ? que je demande, me souvenant du déguisement plutôt réussi du petit frère d'Emma.

— Non, par un père obsédé du contrôle !

Emma dépose le fer à défriser sur le bureau. Je me lève en écartant mes doigts pour ne pas abîmer mon vernis. Nous nous agglutinons devant la fenêtre de la chambre d'Emma pour essayer de voir ce qui se passe dehors. Au regard paniqué de Marilou, je m'attends à trouver son père caché dans un buisson à espionner la maison avec des longues-vues.

— Regardez, pointe Marilou, il est là.

Je me hisse sur le bout des orteils et aperçois monsieur Cormier qui marche d'un bon pas sur le trottoir.

— Il fait sa promenade de santé, non ? constate Emma.

— Oui, ce n'était pas ça, le plan, justement ? que j'ajoute en soulevant mes bras au-dessus de ma tête pour ne toucher personne et garder mon vernis intact.

Marilou devait partir de chez elle au moment où son père sortirait faire sa promenade. Tout se déroule comme prévu. Rien d'alarmant. Il n'y a pas encore d'avis de recherche avec sa photo affichés sur tous les poteaux électriques. «Récompense si retrouvée vivante». Je rigole, mais selon Marilou, ses parents seraient capables de faire pire encore.

— Oui, c'est le plan, soupire-t-elle, mais il fait toujours le même trajet. Pourquoi passe-t-il par ici, aujourd'hui ? C'est louche. J'espère qu'il ne m'a pas vue ! J'ai dû me jeter à plat ventre sous votre gros cèdre pour éviter la catastrophe !

— Mais non, il continue sa route normalement, tu t'inquiètes pour rien. Tiens, mange un muffin au chocolat pour te calmer !

43
Le mal de dents d'Océane

— Passe-moi celui-là, demande Emma en tendant la main vers Marilou.

Cette dernière s'étire pour lui lancer le vernis à ongles bleu métallique, au magnifique reflet brillant; ce sera très beau avec sa robe de la même couleur. Agenouillée près du lit, je me concentre pour appliquer les petites fleurs blanches sur le bout de mes ongles. Des marguerites... aussi bien y aller concept! Si Emma cessait de faire trembler le lit en agitant sa bouteille de vernis avec l'énergie du désespoir, j'aurais déjà terminé!

En fait, je crois qu'elle suit le rythme de la musique – le dernier succès de One Direction! – qui sort du portable placé en équilibre sur un oreiller à côté de nous.

— Arrête de faire bouger le lit, Emma, sinon je vais y passer la nuit.

Marilou croise ses doigts sous son menton. Elle a sa bouche en cœur. Elle va nous faire une déclaration du tonnerre, c'est sûr.

— Les filles... Je n'arrive pas à croire que je me prépare pour aller à un bal! C'est merveilleux!

Je relève les yeux. Pauvre Marilou, j'espère vraiment que son plan fonctionnera de A à Z. Elle serait déçue si ça échouait.

— On va teeeeeellement avoir une belle soirée! s'énerve Emma.

Oui, tellement…

— Ne fais pas cette tête-là, Marguerite, poursuit-elle. Rosianne te laissera peut-être tranquille. Est-ce qu'elle a ajouté un nouvel indice ?

En quelques clics, Emma vérifie sur son portable si Rosianne n'a pas fourni d'autres indications. Moi, je n'ose pas regarder et je garde mon attention sur mes ongles. Ils sont si jolis que je n'oserai plus rien toucher du reste de la journée, de peur de les casser !

— Non, rien de neuf, que les commentaires des insignifiants qui embarquent dans le jeu.

— Bah ! Laissons-la faire. Après tout, elle sera occupée à se trémousser le derrière devant… devant qui, déjà ?

— Oui, c'est vrai, dit Marilou en se redressant. Qui accompagne Rosianne au bal ?

Les deux filles se dévisagent avec des points d'interrogation dans les yeux. Les « Ah ! » et les « Oh ! » fusent de leurs bouches en même temps.

— Raphaël ? propose Marilou.

Emma fait mine de se trancher la gorge avec son index. La grimace est plutôt réussie.

— Es-tu folle, il est trop idiot. Peut-être David.

Je les laisse spéculer sur le « prospect » de Rosianne. J'ai mon idée sur le sujet, mais je préfère ne pas en souffler mot. Aussi bien me mêler de mes affaires. J'espère cependant que je me trompe !

Trois coups frappés à la porte interrompent l'élan de mes copines, en train d'énumérer tous les garçons de l'école qui pourraient accompagner Rosianne au bal. Finalement, la liste n'est pas très longue. Elle ne sort pas avec n'importe qui, la demoiselle ! Océane entre lentement. Tellement lentement que j'ai l'impression qu'elle recule au lieu d'avancer. Sa joue droite est énorme, deux fois la grosseur de la gauche.

— Misère, Océane, donne-moi le nom de ton dentiste pour être certaine que je n'irai jamais le voir ! Il ne t'a pas manquée !

— Hum hum…

C'est tout ce qui semble pouvoir sortir de sa bouche. Un grognement rauque. Elle se laisse tomber sur une chaise, blanche comme la couleur des murs.

— Dis donc, as-tu eu quatre plombages ? que je demande en m'approchant.

Océane se met à marmonner. Je capte quelques mots : « Pas… plombage… dent… arrachée… »

— Oh !

Elle a une trace de sang séché au coin des lèvres. Emma s'accroupit devant elle. Ses cheveux qu'elle a ondulés avec le fer retombent en cascade sur ses épaules.

— Est-ce que ça fait mal ? Veux-tu de la glace ?

— Hum !

Océane sort de sa poche un flacon d'Advil et le dépose bruyamment sur le bureau. Elle n'a pas besoin de nous faire un dessin, on comprend que c'est douloureux.

— Veux-tu un muffin au chocolat ? la taquine Marilou.

Elle reçoit aussitôt le flacon de comprimés par la tête !

44
Pizza, liqueur et...

Nos ongles sont luisants, colorés, coupés, limés… Emma a peigné chacune de nos mèches de cheveux avec minutie. Elle a utilisé à outrance du fixatif, de sorte que rien ne bouge quand je secoue la tête. Je pourrai danser, sauter et m'éclater sans craindre d'avoir l'air d'un plumeau à la fin de la soirée ! Marilou a appliqué du rose sur mes paupières à l'aide d'un pinceau, elle a aussi caché le bouton d'Emma avec du fond de teint. Malheureusement, il n'y a pas grand-chose à faire pour Océane et sa monstrueuse joue.

Il ne reste que nos robes à enfiler, mais avant, c'est l'heure de se bourrer la face avec la nourriture achetée au resto ! Mes jambes sont croisées sur celles de Marilou qui, elle, est adossée à la base du lit. Le couvercle carré d'une boîte de carton glisse sur mes genoux, le son de la musique monte. On s'installe sur le plancher de la chambre d'Emma. Océane nous regarde mordre dans une pointe de pizza extra pepperoni, extra fromage, extra champignons… Une pizza extra, quoi !

— Attention ! Faites de la place !

Emma entre dans la chambre en tenant dans ses mains quatre verres de boisson brune pétillante. Il y a même des glaçons dedans, comme au McDo ! J'en prends un avec mes doigts couverts de sauce et de fromage.

— Tiens, Océane, j'ai ajouté une paille dans ton verre ! dit fièrement Emma en lui donnant sa consommation.

Océane est allongée sur le lit en position de l'étoile. Elle tient sur sa joue des cubes de glace qu'on a enveloppés dans un linge à vaisselle. Elle fixe Emma sans bouger d'un poil. Un corps mort. On dirait que ce n'est pas seulement sa gencive que le dentiste a gelée !

— Voulez-vous ajouter un peu de saveur à votre Pepsi ? s'excite Emma en sortant une bouteille de la poche arrière de son jeans.

Boom ! De la vodka ! La bouteille pourrait entrer dans un sac à main.

— Où as-tu trouvé ça ? demande Marilou en lisant l'étiquette.

Emma prend une pointe de pizza encore chaude.

— Je l'ai volée dans le bar de mon père, dit-elle, la bouche pleine ; il y a de l'alcool de toutes les sortes, de tous les formats, de toutes les couleurs… il ne verra rien.

Je ne bois pas souvent de l'alcool. Une coupe de champagne au jour de l'An, un peu de vin dans les mariages ou lors de soupers importants. Comme ma fête. Une fois, j'ai bu de la bière avec Joanie à la Fête nationale, et je n'ai pas vraiment aimé le sentiment d'avoir la tête qui tourne. Il est hors de question de répéter l'expérience ce soir !

— Ça engourdirait peut-être mon mal de dents, lance Océane en prenant la bouteille à son tour.

— Je ne crois pas que ce serait une bonne idée avec tous les analgésiques que tu viens d'avaler, constate Marilou en redonnant la vodka à Emma.

Je regarde la bouteille passer de main en main. Je suis contente que personne n'insiste pour en boire, ce n'est pas vraiment mon *trip*. Son morceau de pizza entre les doigts, Emma s'assoit au bord du lit en essayant d'entrer le flacon dans un petit sac de tissu bleu. Le même que sa robe.

— Qu'est-ce que tu fais ? On n'a pas le droit d'apporter de l'alcool à l'école.

Emma regarde Marilou en levant les yeux comme si elle venait de lui dire qu'elle était complètement *out*. Elle tourne la bouteille dans tous les sens et sur tous les côtés.

— Merde, je croyais que ça entrerait ! Il faut que je trouve un moyen…, poursuit-elle en réfléchissant. On va la mettre dans ton sac noir, Océane !

Je me redresse sur les genoux en déposant mon verre sur mes cuisses.

— Oublie ça, Emma, on n'a pas besoin de ça pour s'amuser. Je ne sais pas ici quelles sont les conséquences si on se fait pincer avec de l'alcool dans une danse à l'école, mais elles sont toujours déraisonnables !

Emma tourne vivement la tête dans ma direction en remontant ses lunettes avec son index. Elle a l'air inquiète et je ne sais pas pourquoi…

— On croirait entendre parler ma mère ! Miss Morale.

— Marguerite a raison, intervient Marilou en ajoutant du mascara sur ses cils pour une quatrième fois, ça ne vaut pas la peine. Frédéric a été suspendu pendant une semaine, après le *party* de Noël, pour avoir apporté de la tequila !

Les épaules d'Emma se voûtent, elle tourne nerveusement le flacon entre ses doigts. Je suis étourdie juste à la regarder !

— Je n'ai pas le choix, les filles, je dois trouver un moyen d'amener cette bouteille de vodka ce soir.

— Pas le choix? demande Marilou, le nez plissé.

Emma repousse méticuleusement l'angle de sa frange sur son front. Le tube de mascara de Marilou est immobile devant ses yeux, les glaçons fondent dans mon verre. C'est long! Nous attendons des explications de sa part!

— Parle, Emma!

Nous sursautons. Océane reprend vie!

— William m'a mise au défi. Il a dit que je n'aurais sûrement pas les *couilles* d'amener de l'alcool au bal. Pfff, il n'a rien vu! Il ne sait pas tout ce que je suis capable de faire! Non mais, pour qui il se prend, franchement!

J'échange un regard avec Marilou, au-dessus de nos verres à moitié vides. Emma peut jurer le contraire, elle est morte de peur à l'idée de se faire surprendre par un prof avec de l'alcool dans son sac à main.

— Tu n'es pas obligée de faire tout ce que William te demande…, avance Marilou.

Océane se laisse glisser au sol, à côté de nous, par solidarité. Elle a avalé deux autres comprimés d'Advil et semble déjà aller mieux!

— Je sais, les filles, avoue Emma, la mâchoire crispée, c'est ridicule, mais si je veux qu'il s'intéresse à moi, je dois lui prouver que je vaux mieux que cette grande chipie. William est toujours après elle…

Soudainement, le silence s'installe dans la chambre. Même la musique cesse de jouer à l'ordinateur. Nous avons épuisé la liste des chansons d'Emma. Je pince les lèvres, car je crois savoir comment elle se sent. J'ai moi-même failli me perdre en forêt pour voir une mèche de cheveux à Mike, alors je peux comprendre qu'Emma veuille faire plaisir à William.

— OK, passe-moi la bouteille, je vais la mettre dans mon sac, que je dis sans hésiter.

45
Drame n° 1

Marilou retire son chandail tout en continuant à parler avec Emma, comme si c'était normal de se retrouver à moitié nue devant elle. Elle relève même les bras pour qu'Emma puisse ajuster son soutien-gorge.

— J'espère que Julien aura repassé sa chemise! lance Marilou en attachant son collier.

— C'est vrai qu'il aurait besoin d'un cours de tenue 101, rigole Emma. Il faut vraiment que tu lui montres comment s'habiller!

Je me fais toute petite dans un coin. Je n'avais pas de problème à me dévêtir devant Joanie, mais mes nouvelles amies, je ne les connais pas beaucoup. Ça me gêne. Je serais plus à l'aise dans la salle de bain. Je vais passer pour un vrai bébé.

— Marguerite, tu attends que ta robe te saute dessus? remarque Emma. Tu la mets ou pas?

Marilou et Emma me regardent avec des yeux de grenouille. Océane, avec ses yeux de poisson mort.

— Oui oui…, que je baragouine.

Je me tourne un peu pour détacher lentement mon chemisier. Je commence par le bouton du bas et termine par celui qui se trouve à la hauteur de ma poitrine. Pendant ce temps, Marilou lève les bras au ciel. Emma, grimpée sur une chaise, passe la robe par-dessus la tête de son amie sans défaire sa coiffure. C'est toute une technique!

— Eh! Attention! OK! Ça y est!

Marilou descend sur ses cuisses la robe noire qui moule bien son corps de sportive.

— Wow! réussit à grogner Océane, qui a remis le sac de glace sur sa joue.

— Je savais qu'elle serait parfaite pour toi, cette robe! ajoute Emma, une main devant la bouche tellement elle est satisfaite du résultat.

Je passe un pied puis l'autre dans l'ouverture de ma robe pour m'empresser de m'habiller. Évidemment, je ne regarde pas ce que je fais. Mon gros orteil se coince dans une des coutures. Je perds l'équilibre, et ma hanche frappe le sol. J'entraîne une chaise dans ma chute, qui bascule sur le verre de Marilou. Il roule par terre… jusque sous le lit. Ouf! Il était vide. J'imaginais déjà qu'il y aurait des éclaboussures de boisson brune partout sur l'ordinateur, le plancher, ma robe blanche. En tout cas, si j'étais gênée de me montrer en petite tenue devant les filles, on peut dire que c'est raté pour l'effort de discrétion.

— Oh non! Oh non, non, NON!

Marilou se prend la tête à deux mains en piétinant. La dernière fois que j'ai vu quelqu'un dans cet état, c'était quand j'attendais en ligne pour aller aux toilettes.

— Calme-toi, Marilou, le drame a été évité! que je dis en ramassant le verre.

— Non, c'est bien pire! Le drame, c'est que j'ai oublié mes souliers!

Emma et moi avons le même réflexe, soit celui de nous pencher pour regarder ses pieds. Ils sont anormalement petits pour sa taille.

— Je peux te prêter une paire, offre Emma, incertaine.

Marilou lui lance un regard découragé.

— Emma, tes pieds sont deux fois plus grands que les miens ! Merde, qu'est-ce que je vais faire ? Je ne peux pas retourner les chercher chez moi !

Elle s'assoit sur le bord du lit, à côté d'Océane, les yeux dans l'eau.

— Je ne veux pas aller au bal en bottes d'hiver !

Je réfléchis. Je n'ai qu'une paire de chaussures chics que je vais porter ce soir. Ma mère en aurait peut-être, mais vu la grandeur des pieds de Marilou, ils ne feraient probablement pas non plus.

— Dire que j'avais de beaux souliers noirs qui allaient avec la robe, pleurniche-t-elle en frappant le matelas comme une attardée. Pourquoi je les ai oubliés ?

Océane se redresse. Emma a remonté ses cheveux en chignon et on voit parfaitement la démarcation de ses mèches rouges sur les mèches noires. Ça frappe l'œil.

— J'ai des espadrilles Converse roses à la maison, ça pourrait faire l'affaire ?

Le visage de Marilou passe par toutes les expressions : de la surprise à l'horreur, du désespoir à la panique… Des Converse pour aller à un bal ! Seule Océane peut avoir ce genre d'idée. Je me retiens pour ne pas éclater de rire.

— Quoi? demande Océane. On a la même pointure de souliers, ce sera parfait. Tu peux y aller avec tes bottes d'hiver, si tu préfères!

Bon point.

Marilou secoue la tête, complètement découragée.

46
Drame n° 2

— Collez-vous, les filles, je veux prendre une photo!

La mère d'Emma entre dans le salon avec ses cheveux châtains tombants, qui sont aussi longs que ceux de sa fille, et un appareil photo gigantesque pendu à son cou.

— Oui! La première photo officielle du Club des Girls! crie Marilou en sautillant sur place.

Tout énervée, elle passe son bras dans mon dos, je passe le mien autour de la taille d'Océane. Emma se place derrière pour nous entourer les épaules.

— Vous êtes belles! s'émeut madame Nantel en ajustant son appareil. À trois vous dites «sexy». Un, deux, trois...

— *Sexy!*

Je me sens comme un vrai mannequin devant les flashs. La mère d'Emma nous prend sous tous les angles. On lève les bras en l'air, on roule des hanches, on envoie une bise à la caméra... C'est vrai qu'on est belles. Même Marilou est jolie avec ses Converse roses!

— Maman, prends une photo des pieds de Marilou! taquine Emma.

Marilou joue le jeu en tendant le pied sensuellement. Océane a couru jusque chez elle pour aller chercher les souliers tout de suite après le souper. C'est la meilleure solution que nous ayons trouvée. C'était ça ou les bottes d'hiver! Ce n'est pas très chic, mais ça lui donne un air d'écolière rebelle. Au moins, ce sera confortable pour danser! La chanceuse!

Nous comptons les fleurs du tapis au salon en attendant William, qui doit venir nous chercher. C'est long, et plus le temps passe, plus la frénésie gagne notre petit groupe. Emma s'amuse à tourner sur elle-même, juste pour le plaisir de voir sa robe valser au vent. Océane se plaint encore que sa dent lui fait mal. D'ailleurs, elle est un peu originale avec ses bas rayés et sa jupe en tulle. Marilou regarde nerveusement l'heure toutes les deux secondes.

— Est-ce qu'il arrive, ton William? J'ai hâte de partir! C'est déjà un miracle que mon père n'ait pas encore envoyé la police à ma recherche. S'il fallait qu'il voie ces photos! Emma, ta mère n'est pas du genre à les mettre sur Facebook, j'espère?

— Relaxe, tout va bien! la rassure Emma.

Pour ma part, plus les minutes s'écoulent, plus la boule dans ma poitrine grossit. J'ai peur de ce qui m'attend à cette soirée. Je n'aime pas me faire ridiculiser, mais je sens que Rosianne la chipie ne va pas se gêner. Elle serait capable de me rentrer dedans avec un tracteur! Au diable les dommages! Que restera-t-il de ma réputation?

Et Mike… j'espère qu'il va bien. Je suis encore sous le choc de ma rencontre avec son père. Je pense sans arrêt à l'atmosphère dans laquelle il vit, et ça me fait de la peine.

— C'est vrai que c'est un peu long, là…, dit Emma en étirant la tête pour regarder par la fenêtre. Le sacripant, il est mieux de venir sinon je lui arrache les yeux! Il devrait déjà être ici!

Nous soupirons l'une à la suite de l'autre comme un mouvement de vague au Centre Bell. Je sors mon iPod de mon sac pour vérifier, avant de partir, s'il y a une catastrophe sur Facebook. Avec tout ce qui circule à mon sujet ces jours-ci, il vaut toujours mieux connaître les derniers développements, même si ça effraie.

Un nouveau message. Zut, je regrette ma curiosité.

Rosianne Blais
Dis-moi, Marguerite, tu ne participes pas à mon concours ?

Je relis le message plusieurs fois. J'entends les filles discuter autour de moi sans les écouter. Est-ce que quelqu'un a sonné à la porte ? Mes yeux sont figés sur l'écran de mon iPod. Je pense que je vois double. Mon cœur bat à toute vitesse, mais étrangement c'est un élan d'orgueil qui m'anime. Je suis bien décidée à ne pas laisser cette fille m'avoir aussi facilement ! Je vais aller à cette soirée la tête haute. Je trouverai une façon d'en sortir gagnante…

Pour ça, je dois détenir toutes les cartes dans mon jeu ! Je vais voir l'évolution du *super* concours. La question reste la même : « À qui appartient le mystérieux soutien-gorge ? » Ah ! Elle a écrit un nouvel indice : « Cette fille est une fleur blanche et jaune ! » Trop facile…

— Viens, Marguerite, William est arrivé ! me presse Emma en tapant sur mon épaule.

— Tu es sûre que c'est William ? Ce n'est pas mon père qui débarque pour me ramener à la maison par la peau du cou ? s'inquiète Marilou.

211

Tout l'après-midi, elle a sursauté chaque fois que le téléphone sonnait ou qu'on cognait à la porte ! Je regarde mes copines graviter autour de moi sans bouger. Je suis sous le choc. Rosianne a ajouté une nouvelle photo. Je cligne des yeux plusieurs fois. Rien à faire, l'image est toujours là.

« En souvenir de l'été dernier. »

Rosianne et Mike autour d'un feu de camp ! Il avait les cheveux beaucoup plus courts à ce moment-là. On dirait qu'il ne les a pas coupés depuis. Rosianne le regarde avec des yeux amoureux. Mike Lambert assis sur une bûche de bois devant un feu de camp, cela est tout à fait plausible et ça pourrait même avoir son charme, mais que Rosianne Blais soit dans le décor, c'est… c'est…

C'est horrible ! C'est impossible ! Je refuse d'y croire !

Rosianne m'avait prévenue : « Mike ne va pas au bal pour les raisons que tu crois. »

— Oh !

Les exclamations des filles me ramènent au présent. Je relève la tête. Mike est sous le chambranle du salon, les mains dans les poches, le visage neutre.

47

Une visite inattendue

Pendant un instant, j'oublie l'affreuse photo que je viens d'observer sur Internet. J'oublie le Club des Girls autour de moi qui pousse des «Oh!» et des «Ah!» de surprise. J'oublie la mère d'Emma qui nous regarde avec une main sur sa poitrine, émue devant l'innocence de notre jeunesse. Je ne vois pas le petit garçon qui tire sur la manche de Mike pour attirer son attention.

Je ne vois plus rien, parce que je le vois, lui.

Il est grand dans le cadre de la porte du salon. Je remarque qu'il porte les mêmes chaussures de tous les jours, mais qu'il les a cirées. Elles brillent! La moitié de son visage est toujours aussi écorchée. D'ailleurs, j'aperçois une lueur incertaine dans ses pupilles lorsque nos regards se croisent d'un bout à l'autre de la pièce.

— Je suis allé chez toi, mais tes parents m'ont dit que je te trouverais ici, prononce Mike dans le silence qui s'étirait. J'ai le camion de mon père.

— Doux Jésus, qu'est-il arrivé à ton œil, mon beau garçon? s'énerve madame Nantel.

— Ça va, je me suis seulement frappé la tête contre une roche…

— As-tu mis de la vanille? Ça empêche la peau de virer au bleu. Viens, je dois en avoir quelque part! Dommage que Martin ne soit pas encore rentré, il aurait pu regarder ça.

C'est vrai, le père d'Emma est médecin.

— Ah! maman! Laisse-le tranquille. Prends plutôt une photo d'eux, ils sont trop beaux!

Emma me pousse dans le dos avec ses ongles pointus pour me forcer à bouger. Heureusement, car je n'y arrivais pas. Mike piétine, il veut s'en aller. Plus j'avance, plus l'expression sur son visage se transforme. D'abord, il sourit en me regardant des pieds à la tête. Ça me gêne un peu, j'espère qu'il me trouve belle! Puis ses yeux s'assombrissent en voyant mon air troublé, probablement à cause des questions qui émergent dans ma tête. Qu'est-ce que ça veut dire, cette photo avec Rosianne? Quelles sont les vraies raisons qui l'incitent à aller au bal? Pourquoi a-t-il un œil noir?

Je me retourne vers la mère d'Emma, qui attend pour nous photographier. Mike passe un bras autour de ma taille, exactement comme je l'ai fait avec Océane tout à l'heure. Je dois relever le menton pour le voir. Il regarde droit devant lui sans vraiment sourire.

Je crois qu'Océane aussi a pris un cliché avec son iPod.

— Allez-y, propose Emma, on vous rejoint plus tard.

— Oui, bonne idée, partez sans nous, insiste Marilou avec un clin d'œil.

— Vous êtes sûres?

— Mais oui, vas-y!

Je me sens mal de les abandonner là. Tout comme je ne suis pas certaine d'avoir envie de me retrouver seule avec l'occupant du casier 137. Il me prend par surprise, je n'étais pas préparée à le voir si vite. Surtout après avoir fait la découverte de la photo de lui et Rosianne !

— As-tu quelque chose de plus chaud à te mettre ? C'est que… le chauffage dans le camion est défectueux, et je ne voudrais pas que tu…

Mike parle du châle avec lequel je viens de couvrir mes épaules. Lui, il porte son manteau habituel.

— Ça ira.

— Pauvre enfant, tu ne peux pas sortir comme ça ! intervient encore une fois madame Nantel en ouvrant la garde-robe. Tiens, prends celui-ci, il est parfait pour un bal.

Avec un regard chaleureux, la mère d'Emma attend que je glisse mes bras dans les manches d'un manteau couleur crème. Il a l'air neuf ! Un beau foulard rose est attaché au col, c'est très joli. Mike approuve d'un sourire satisfait. C'est vrai que ça n'avait aucun sens de sortir dehors avec uniquement un châle de coton sur les épaules.

Je me tourne vers les girls, qui me font toutes sortes de simagrées du genre : « *My God !* Vous êtes beaux ! »

— Tu as l'âge de conduire, Mike ? demande soudainement la voix autoritaire de madame Nantel.

La main sur la poignée, il s'apprêtait à sortir, mais il se ravise. Il observe la femme qui vient de lui poser une question, un sourcil relevé. On pourrait entendre une mouche voler ; bouche bée, nous attendons la réponse avec impatience.

— Oui, bien sûr, madame.

Ah oui ? Il a seize ans ?

48
Le bal

Mike me laisse passer devant lui, mais une fois la porte franchie il se met rapidement à mes côtés pour m'aider à descendre l'escalier. Il prend ma main d'un mouvement presque familier qui me surprend. Tant mieux, car mes petites chaussures de bal ne sont pas géniales sur la glace.

Évidemment, les girls ont le nez collé à la fenêtre pour nous regarder partir. Je soulève ma robe pour ne pas qu'elle traîne dans la neige. Un camion est garé dans la rue. Un véhicule digne d'un film des années 1950 que mon père écoute le dimanche soir. Je lui trouve même quelques ressemblances avec Mater dans *Les bagnoles*. Brun, rouillé…

— Alors, c'est vrai que tu peux conduire ?

Mike m'ouvre la porte du camion, qui grince comme une corde à linge.

— Ne t'inquiète pas pour ça.

Je ne m'inquiète pas, je veux juste comprendre ce qui m'arrive. J'enjambe la marche en posant le pied entre un marteau et un tournevis. C'est humide à l'intérieur. Je dois repousser quelques papiers pour m'asseoir. Mike referme la porte avec force ; sous l'impact, la vitre descend brusquement.

Est-ce que j'ai entendu Mike Lambert sacrer ?

Il contourne le camion aux pas de course, après avoir remonté péniblement ma vitre. Le mécanisme est usé. Il s'installe à mes côtés en sautant, mais doit s'y reprendre à deux fois pour fermer sa portière.

— Bon, maintenant, démarre, mon vieux.

Mike est concentré, il se parle à lui-même en insérant la clé de contact dans le commutateur. Le moteur rouspète, mais vrombit sans trop de problèmes.

— Désolé pour le chauffage, il ne fonctionne plus depuis l'hiver dernier.

Le camion se met en marche lentement, je suis crispée à mon siège. J'ai froid, malgré le joli manteau que la maman d'Emma m'a prêté, et je ne sais pas si celui qui est venu me chercher sans m'avertir sait conduire. Mon père le tuerait s'il m'arrivait quelque chose! Mike marque l'arrêt au bout de la rue. Il met son clignotant, tourne habilement le volant d'une seule main. OK, il sait conduire. Dans mon champ de vision, je ne perçois que le côté blessé de son visage, je n'aime pas tellement ça.

— Tu peux relaxer, Marguerite, dit-il en quittant la route des yeux pour me regarder. Depuis l'âge de neuf ans, je conduis sur les genoux de mon père, dans les chemins de terre derrière la maison.

L'image de cet homme plutôt rustre et usé par la vie me revient en tête. J'ai encore le frisson quand je repense à la façon dont il m'a parlé! Comment Mike peut-il l'endurer?

— Il fait quoi, ton père, comme métier?

Mike freine brusquement. Je crois d'abord que c'est ma question qui est la cause de son geste, mais c'est plutôt parce qu'une voiture nous a coupé la route. Une Civic rouge avec le volume de la radio poussé au maximum. Elle tourne dans la cour d'école en zigzaguant, fait un cercle dans le stationnement et s'arrête finalement dans un crisse-ment de pneus raté en raison de la chaussée enneigée.

Mike se gare derrière la voiture et ouvre sa portière avec élan.

— Attends-moi ici.

— Qu'est-ce que tu fais ?

William sort de la Honda rouge avec son sourire arrogant et regarde Mike s'avancer vers lui en frottant ses mains l'une contre l'autre, heureux de son effet. Oh non ! Ils ne vont pas se battre, quand même ? Ce n'est pas possible : Mike qui perd son calme légendaire pour un petit con qui se prend pour le nombril du monde. Ça ne vaut pas la peine ! Et ça ne lui ressemble pas d'agir comme ça. Au fond, qu'est-ce que j'en sais ? Je le connais depuis seulement trois jours, il s'agit peut-être d'un fou furieux qui décharge sa colère sur tout ce qui bouge au moindre tracas !

Mike empoigne le collet sans pli de William pour le plaquer contre la voiture. Ce dernier ne se laisse pas faire et réplique par une poussée énergique. Non, je ne veux pas voir ça ! Je cache mes yeux avec mon sac à main et je compte jusqu'à trente. Trente secondes, c'est suffisant pour savoir qui a frappé l'autre en premier !

Quand je regarde de nouveau d'un œil incertain, Mike est penché au-dessus de William et lui parle à deux centi-mètres du visage. Ce n'est pas très gai comme portrait. Si un prof les voyait se battre comme des coqs, les deux pourraient se faire interdire l'accès au bal !

Quelque chose de dur dans mon sac à main heurte mon genou quand je le laisse tomber dans un geste d'exaspéra-tion. La bouteille de vodka ! Je dois justement la remettre à William sans me faire prendre. Je l'avais oubliée, celle-là !

J'y pense, il est seul dans sa voiture. Il n'est pas allé chercher les filles chez Emma ?

Une voiture m'éblouit de ses phares, me forçant à battre des paupières. Madame Bournival, la prof de géo, arrête sa Mazda 3 bleu métallique à côté du camion de Mike. Celui-ci lâche William, qui replace ses vêtements. Son nœud papillon est de travers !

Madame Bournival ouvre sa portière avec un sourire avenant, elle n'a rien vu d'anormal. Ouf ! William se sauve déjà à l'intérieur, tandis que Mike revient vers moi d'un pas assuré. Il ne semble pas perturbé par ce qui vient de se passer.

— Excuse-moi, j'avais des choses à régler.

— Ça va…

J'essaie de descendre du camion, mais nous sommes garés au beau milieu d'une énorme flaque d'eau. Mike a les deux pieds dedans !

— Passez une belle soirée, les jeunes ! nous lance madame Bournival en s'éloignant vers l'entrée principale.

Elle marche les fesses serrées sur ses talons aiguilles en sautant agilement par-dessus les trous d'eau. Sa robe est courte sous un manteau plus long. Elle ne donne pas l'image d'un prof-surveillant bien sévère. Tant mieux !

— Donne-moi ta main, dit Mike en me voyant rester dans le camion.

J'attrape sa main droite pendant que sa gauche prend ma taille et up ! je vole dans ses bras le temps d'une seconde. Une seconde où j'ai la chance de voir ses yeux de près. Ils sont encore plus bleus que je ne le croyais !

— Il est garde-chasse, souffle Mike en me déposant par terre.

Mes talons plantés dans un mélange d'eau et de neige, je l'observe sans comprendre.

— Tu m'as demandé ce que faisait mon père dans la vie, reprend-il, il est garde-chasse.

Ah bon!...

Il m'entraîne vers l'entrée. Tout se déroule trop rapidement, je n'ai pas le temps de réfléchir. J'aurais préféré le prévenir de toute cette histoire à propos de mon soutien-gorge. J'aurais voulu le questionner sur les raisons de sa présence ici, lui mettre sous le nez la photo de Rosianne et lui en train de s'amuser à faire griller des guimauves autour d'un feu de camp, un soir d'été. J'aurais voulu...

Avant toute chose, je dois trouver un moyen d'avertir les filles que William est déjà au bal et que, visiblement, il n'a pas l'intention d'aller les chercher! Madame Bournival doit bien avoir un cellulaire. Sinon j'irai voir du côté du secrétariat. Ah! Peut-être que j'arriverai à leur envoyer un message en branchant mon iPod sur le réseau de l'école. Tout le monde se plaint qu'il est lent et qu'il se plante une fois sur deux! Avoir su, nous aurions pu nous entasser sur la banquette du camion de Mike.

Il m'ouvre la porte de l'entrée principale de l'école. C'est rassurant de l'avoir dans mon ombre, je me sens plus confiante pour affronter ce qui s'en vient! Nous sommes accueillis par un bouquet de ballons blancs. La fille qui s'y dresse tout à côté pour nous souhaiter la bienvenue reste bouche bée en voyant qui m'accompagne. Je la reconnais, elle est dans mon groupe.

— Allô, Coralie.

— Allô…, murmure-t-elle, les joues rouges.

Est-ce Mike qui lui fait cet effet? Ouais, bon, je la comprends… Il a retiré son manteau, et son chandail gris à manches longues qui tombe sur son pantalon noir lui va à merveille. C'est très… hum… attirant. Je remarque un pendentif à son cou. Est-ce qu'il le porte constamment ou spécialement pour l'occasion? On dirait une médaille taillée dans du bois.

— Bonne soirée, balbutie Coralie, sa langue coincée dans ses broches.

Nous suivons quelques couples qui se dirigent au gymnase. C'est là que se déroule la fête. Coralie n'est pas la seule à s'émoustiller au passage de Mike, les filles se retournent, murmurent dans notre dos des paroles qui me font l'effet d'une douche froide:

— Tu crois qu'elle a vraiment essayé d'embrasser le prof de gym? dit une grande brune.

— Je suis certaine que c'est à elle, le fameux soutien-gorge ultralaid qui…

Je perds la fin de la conversation dans le bruit ambiant. Tout ça, ce n'est rien en comparaison de tous les regards étranges qu'on me lance à chaque nouveau pas que je fais. C'est une soirée bien longue qui commence! Est-ce que Mike a entendu, lui aussi? Peu importe, ça me donne un regain de confiance de l'avoir près de moi lorsque nous entrons dans le gymnase.

Il y a déjà beaucoup de monde. L'éclairage est fait de petites lumières bleues, comme celles que l'on met dans un sapin de Noël! Elles scintillent de part et d'autre de la salle et c'est très joli. Il y a une grande table avec des jus, des boissons gazeuses, des croustilles, des chocolats… Une scène a été installée tout au fond avec un micro et une énorme chaîne stéréo. La musique est déjà commencée !

Nous faisons à peine deux pas que nous sommes arrêtés par Rosianne Blais.

— Eh bien ! Marguerite Lafleur avec Mike Lambert, comme c'est mignon, dit-elle avec ironie.

Elle échange un regard froid avec Mike. Malgré toute la répulsion que je peux avoir pour cette fille, je dois admettre qu'elle est superbe. Elle porte une robe rose pâle un peu bouffante à partir de la taille, de longs gants de la même couleur remontant jusqu'à ses coudes. Elle a du rose sur ses paupières, et ses pommettes saillantes ont un teint éclatant. Et ses cheveux, si parfaitement coiffés, sont libres sur ses épaules nues.

— As-tu hâte de savoir qui a gagné, Marguerite ?

Elle parle de la devinette au sujet de mon soutien-gorge ! Mike baisse les yeux vers moi.

— Qui a gagné quoi ?

— Oh ! s'écrie innocemment la princesse, tu n'es pas au courant, Mike ? Dommage, tu aurais pu participer au concours. Attends, tu en auras plein la vue !

Mike n'est pas idiot, il remarque aussitôt mon malaise.

— Qu'est-ce que tu manigances encore, Rosianne ?

— En passant, Marguerite, poursuit-elle sans répondre à Mike, tes amies ne sont pas avec toi ?

Son sourire me fait rager. Il n'y a pas l'ombre d'un doute, elle savait que William ne passerait jamais les chercher ! Puisque je devais être avec elles, Rosianne ne s'attendait pas à me voir arriver au bal avec Mike. Son plan est gâché et elle est contrariée. Rien pour aider ma cause.

Je dois prévenir les filles, sinon elles risquent de manquer une partie de la soirée! Mike ressent probablement ma nervosité, parce qu'il pose une main apaisante dans mon dos pendant que les jumeaux Côté s'amènent au micro. Un filet de lumière se braque sur eux.

— Oyez, oyez! Bonsoir, groupe!

Ils portent le même habit, la même coiffure rebelle, impossible de les différencier. Les élèves s'animent en sifflant, en applaudissant… L'ambiance est à la fête! J'observe tout autour de moi, dans l'espoir de voir apparaître mes copines. Je sors discrètement mon iPod pour envoyer une alerte à Emma.

À: Emma Nantel

De: Marguerite Lafleur

Bougez vos fesses jusqu'ici, ton William est déjà sur place!

Marg

Le réseau est tellement lent que le message prend plusieurs minutes à partir. Ouvrir Facebook, on n'y pense même pas! De toute façon, le site est bloqué…

Message envoyé. J'espère que ça a fonctionné! Je reporte mon attention sur les jumeaux Côté, qui sont très à l'aise sur scène.

— Ça nous ennuie royalement d'être obligés d'animer cette soirée, hein, Oli? dit Thomas en regardant son frère.

— Ouais, vraiment, poursuit ce dernier en pianotant ses doigts sur le lutrin.

Malgré leurs propos, on peut lire la malice sur leur visage. Ils ne sont pas sérieux et tout le monde rit de bon cœur avec eux.

— C'est pourquoi nous ne ferons pas de grands discours, reprend Olivier.

— Nous ne souhaiterons pas la bienvenue à madame Bournival ni à monsieur Pelletier, nos surveillants officiels. Ne leur dites surtout pas que j'ai versé de la vodka dans le cocktail au jus d'orange ! chuchote Thomas, comme s'il nous révélait un secret d'État.

Je ravale ma salive ; même si c'est une blague, ça ressemble un peu trop à la réalité. J'ai hâte de me débarrasser de la bouteille qui gît dans mon sac à main !

— En fait, nous allons vous souhaiter la bienvenue à notre façon, lance le jumeau de droite.

Un air hip-hop que je ne connais pas résonne en écho sur les murs très hauts du gymnase. Les deux frères retirent leur veston dans un même mouvement, avant de les laisser tomber au sol. Après un *high five* complice, ils sautent sur la piste de danse. C'est absolument incroyable de les voir bouger au rythme de la musique. Une chorégraphie parfaite, des pas cadencés. Une pirouette par-ci, un jeu de pied par-là. Wow ! Même Mike frappe des mains pour les encourager avec un sourire en coin. Les jumeaux Côté nous offrent tout un spectacle d'ouverture !

— Bravo à nos animateurs ! Ils seront avec nous tout le long de la soirée.

Je serre les mâchoires, je ne l'avais pas vue monter sur scène, ELLE. Rosianne sourit de toutes ses dents blanches. Merde, elle tient mon soutien-gorge dans les mains. Je ne veux pas assister à ça ! Je bouscule Mike.

— Je dois aller aux toilettes !

Surpris, il me cède le passage. Je cours vers la sortie, j'ai besoin d'air. Je secoue la tête, me demandant pourquoi je me suis montré la face ici. Comment se jeter dans la gueule du loup ! Je vais avoir l'air d'une belle idiote ! Avant d'atteindre les portes, j'entends Rosianne faire son annonce.

— Vous avez sûrement vu passer la photo de ce bustier dans les réseaux sociaux, dit-elle fièrement en brandissant mon soutien-gorge comme un trophée de chasse. À qui peut-il bien appartenir ? Vous saurez plus tard qui aura l'honneur de m'embrasser pour avoir trouvé la bonne réponse ! Bonne soirée ! Je déclare le bal officiellement ouvert !

Je me bute contre Océane. Je suis contente de la voir !

— Enfin, vous voilà ! Vous avez eu mon message ?

Océane fait un peu étrange avec sa jupe en tulle et son chandail signé Metallica. Et avec cette manie de toujours mâcher de la gomme… même avec une dent fraîchement arrachée !

— Ouais, la mère d'Emma est venue nous reconduire.

Elle mâche aussi ses mots, on dirait qu'elle a plein de friandises dans la bouche ! Je vois Marilou rigoler avec Julien, elle flotte sur un petit nuage, heureuse d'être au bal. Elle m'envoie un signe de la main, les yeux étincelants. Emma fonce droit dans ma direction. J'ai un mouvement de recul, car dans sa détermination elle pourrait déplacer des montagnes.

— Marguerite, il faut trouver une façon de donner la bouteille de vodka à William! Je viens de le croiser et il attend que je la lui remette.

— Emma, réveille-toi, il rit de toi, ce gars-là! Il n'est même pas allé vous chercher.

Mon amie balaie l'air de sa main, comme si ce que je venais de dire était banal.

— Ah ça! c'est un malentendu, j'avais mal compris! Allez, va lui donner la bouteille, il n'est pas très patient.

Elle me prend fermement les épaules et me fait pivoter. Je ne vois plus Mike. Mes yeux tombent sur William, qui joue à qui est le plus fort avec un ami de son groupe. Emma me pousse à deux mains sur les omoplates. Je transfère mon poids sur mes talons pour éviter d'avancer. Qu'est-ce qu'elle peut bien lui trouver? Il est peut-être beau, mais pas très futé.

J'ai soudain une idée!

Je me secoue pour me libérer de l'emprise insistante d'Emma.

— Ok, reste ici, j'y vais.

Je marche d'un pas résolu dans sa direction. Je regarde où je mets les pieds, ce ne serait pas le moment de me ridiculiser en tombant face première devant lui. Il pose sur moi des yeux intrigués. Il sent le parfum bon marché mélangé à l'odeur de cigarette.

— Est-ce que je peux te parler dans un endroit discret?

— Oh! elle te veut, la nouvelle, *man*! s'exclame l'autre idiot à côté de lui.

William a le réflexe de replacer son nœud papillon. S'il savait à quel point il m'indiffère! Je lui adresse un sourire charmeur : j'ai besoin de lui pour mettre à exécution mon plan.

— Viens, je connais un endroit, dit-il en faisant signe de le suivre.

J'ai un moment d'hésitation. Où va-t-il m'emmener? J'aurais aimé prévenir Mike… William m'entraîne à l'extérieur du gymnase, puis me fait emprunter le corridor de droite. C'est plus calme par ici, on entend la musique au loin et nos bruits de pas sur le plancher ciré. Contrairement à Mike tout à l'heure qui marchait lentement derrière moi, William avance sans se soucier si je le suis.

Il s'arrête devant le local 230, qui n'est pas verrouillé.

— Ici, on sera tranquilles.

William tourne la poignée, et c'est avec une boule dans la gorge que j'entre à l'intérieur. Il allume les néons. Le local de classe est bien ordinaire. Je piétine ; bizarrement, j'ai perdu de l'assurance, maintenant que je suis seule à seul avec lui dans une pièce déserte!

— J'imagine que tu veux me parler au sujet de la bouteille de vodka? Emma m'a dit que c'est toi qui l'as apportée, dit William en replaçant légèrement son pantalon avant de s'asseoir sur le coin d'un bureau.

Ah! gentleman.

Je redresse les épaules.

— Je te donne la bouteille à une condition.

Il croise les bras en me lançant un regard hautain.

— Tu commences à me pomper l'air, Lafleur. Qu'est-ce que tu veux ?

— La bouteille contre le soutien-gorge que Rosianne m'a piqué.

Il éclate de rire. Un rire qui emplit tout le local. J'essaie de ne pas montrer le frisson qui me traverse le corps. Ce n'est pas dans ma nature de faire du chantage, mais je n'ai pas d'autre choix si je veux éviter que ma soirée se termine par un désastre assuré. William reprend son sérieux, puis marche vers moi avec des yeux défiants.

Avant même que j'aie le temps de réagir, il arrache mon sac des mains ; pourtant, mes doigts le tenaient bien serré.

— Tu es qui pour me dicter quoi faire, hein ?

Il sort la bouteille d'un geste précis et vif avant de me lancer mon sac en plein visage.

— Meilleure chance la prochaine fois, LA-FLEUR !

Il allait faire demi-tour et disparaître comme un voleur, mais il se ravise et avance d'un pas. Il se trouve un peu trop près de moi, ça me rend mal à l'aise.

— Dommage, tu es mignonne, dit-il en osant frôler ma joue avec son index.

Ce même doigt glisse dans mon cou pour s'aventurer jusqu'à l'ouverture de mon décolleté, qu'il soulève en étirant le col.

— Ce sont des vrais ?

Ma main se lève brusquement pour le repousser. Eurk! Il m'écœure! William s'éloigne en riant, mais il se retourne avec son éternel sourire de face à claques.

— Et merci! dit-il en brandissant la bouteille de vodka.

Je m'assois sur le bureau le plus près, un peu ébranlée. Je pousse rageusement un ou deux livres au sol. Je suis déçue, j'espérais que mon manège fonctionne! Maintenant, je suis doublement condamnée à faire rire de moi devant toute l'école, parce que William ne manquera pas de raconter l'incident à Rosianne!

William s'en allait d'un pas léger – vainqueur –, quand il tombe nez à nez avec Mike en ouvrant la porte. Un feu d'artifice éclate dans ma poitrine. Je suis trop heureuse de le voir! Il se tient droit, impassible. Il toise William de toute sa hauteur. Pendant une seconde, je crois même qu'il lui sautera à la gorge!

— Pourquoi l'as-tu entraînée ici? lance Mike au visage de William.

— Eh! du calme, Lambert, réplique William en rectifiant encore une fois son nœud papillon, c'est elle qui voulait me parler en privé. T'es jaloux?

Mike me regarde par-dessus l'épaule de William. Les larmes au coin de mes yeux suffisent à le convaincre que je n'avais pas de mauvaises intentions.

— Bon, je vous laisse, termine William en fixant Mike effrontément.

Je suis surprise qu'il ne lui dise pas une autre ânerie. Mike attend qu'il soit hors de portée pour avancer lentement jusqu'à moi.

— Il a été con avec toi?

Au ton de sa voix, je n'ose pas imaginer ce qui arriverait à William si je répondais «oui». D'ailleurs, je suis troublée par son élan de protection. Ses yeux bleus sont braqués sur moi, il attend une réponse de ma part. Il est aussi près de moi que William l'était il y a à peine deux minutes. Mais la sensation que j'éprouve est tellement différente... Je n'ai aucune peur, aucune tension, je me sens simplement bien avec Mike! On pourrait passer la soirée ici, à bavarder tranquillement.

— Pas plus con que d'habitude.

— Petit merdeux... pas de couilles, marmonne Mike pour lui-même.

Contre toute attente, Mike n'insiste pas pour connaître le fond de l'histoire. Il ne pose pas de question sur les raisons de ma présence dans la classe. Ça me soulage, je ne tenais pas à lui expliquer pourquoi je transportais une bouteille de vodka dans mon sac.

— Tu veux y retourner? demande-t-il en pointant la porte du menton.

Non, je ne veux pas y aller; je sais ce qui m'attend et je suis transie de peur. J'entends les jumeaux Côté faire les drôles au micro. Je ne veux pas voir Rosianne me montrer du doigt lorsqu'elle annoncera à qui appartient le fameux soutien-gorge!

Mike ne bouge pas, son visage reste sans expression. Il est patient, trop calme. J'ai soudainement envie de le secouer comme un cocotier pour qu'il me fasse part de ses vraies intentions. J'en ai assez des mystères qui l'entourent! J'ai bien le droit de savoir pourquoi il est ici, ce soir, et s'il se moque de moi lui aussi.

— Mike, pourquoi es-tu venu au bal?

Il recule d'un pas en redressant la tête. Non, pas ce regard… La tête légèrement inclinée, les paupières mi-closes, ça me chavire chaque fois!

— Qu'est-ce que tu veux dire?

Sa voix n'est plus aussi douce. À l'évidence, il veut que je lui fournisse une réponse honnête. Mes doigts s'emmêlent dans le cordon de mon sac.

— On m'a raconté que tu ne te présentais jamais aux activités de l'école. Pourquoi tu le fais aujourd'hui?

— C'est vrai, je n'ai aucun intérêt à passer mon temps à regarder une gang d'ados se peloter sur un plancher de danse. Je les vois à l'école et c'est déjà bien assez. C'est juste que…

Il glisse une main timide dans ses cheveux. Ce geste le rend trop craquant… D'ailleurs, mon regard s'arrête sur une mèche qui reste droite sur sa tête.

— Je voulais passer la soirée avec toi.

C'est à mon tour de rester de marbre. Il ne me dit pas tout!

— Ah oui? Donc personne ne t'oblige à assister au bal?

Je pince les lèvres, car je regrette un peu de lui avoir lancé cette question en pleine face. Il avait l'air sincère… Maintenant, il me regarde avec méfiance.

— Effectivement, le directeur m'a fortement suggéré d'y participer. C'est une longue histoire que je n'ai pas envie de raconter.

Boom! Il l'a dit! Les rumeurs étaient donc vraies. Rosianne m'avait prévenue : « Mike ne va pas au bal pour les raisons que tu crois. » Il n'est pas mieux que les autres. Pfff!

— C'est bien ce que je pensais…

Je me redresse lentement du pupitre sur lequel je m'étais assise ; en esquissant ce mouvement, cela a l'effet de me rapprocher de Mike bien malgré moi. Il saisit ma main.

— Attends, Marguerite, tu n'as pas tout compris. Le directeur peut exiger ce qu'il veut, je t'assure que je ne serais pas ici si tu n'y étais pas. Je me fous du directeur!

Sa réaction me surprend. Son débit est rapide, son regard, paniqué. Il ne veut pas me laisser partir! Sa main est chaude dans la mienne. En fait, cette chaleur se transmet dans tout mon corps!

— C'est vrai?

— J'avais pris ma décision avant même qu'il m'en parle.

Je laisse échapper un soupir silencieux. Un petit sourire niais de fille trop heureuse se dessine sur mes lèvres. Je me répète dans ma tête : « Arrête de sourire bêtement et trouve quelque chose d'intelligent à dire! »

Pourtant, tout ce que je parviens à articuler, c'est :

— *Cool!*

Eh, misère!…

— Que faites-vous là, tous les deux? Allez, sortez, je ne veux voir personne traîner dans les couloirs ni dans les classes.

Madame Bournival est dans le cadre de la porte, le regard sévère, mais la bouche en cœur. Elle n'a pas envie de nous disputer, ça se voit. Mike garde ma main dans la sienne pour m'entraîner vers le couloir. La prof me fait un clin d'œil avant de refermer la porte derrière nous.

— En passant, bon anniversaire, Mike, ajoute-t-elle en nous suivant.

C'est son anniversaire?

— Merci, répond-il simplement.

— Pourquoi ne pas l'avoir dit plus tôt? que je demande à voix basse, pour ne pas mêler madame Bournival à notre conversation.

— Ça aurait changé quoi?

La prof toussote en accélérant le pas pour nous laisser seuls. Mike a raison, qu'est-ce que cela aurait changé? J'aurais pu… lui souhaiter bonne fête. Il a donc seize ans.

— Alors, oui, j'ai l'âge de conduire une voiture, ajoute-t-il d'un regard coquin devant mon air encore hébété. Et je peux le faire seul comme un grand depuis ce matin même, tu es ma première passagère officielle! Enfin, la liberté devant moi…

J'aurais aimé lui demander ce qu'il voulait dire exactement, mais nous entrons dans le gymnase au même moment. Mike sent ma nervosité, car il resserre son emprise sur ma main. Si ça n'avait pas été de lui, j'aurais pris mes jambes à mon cou depuis longtemps! Heureusement, nous ne croisons pas William dans notre détour. La salle est bondée d'élèves qui dansent en se faisant aller la tête de gauche à droite, les bras de haut en bas. Emma et Marilou sont au centre à me faire de grands signes. Elles ont un sourire qui leur fend tout le visage! C'est beau de les voir s'amuser! À les regarder, on dirait que la soirée n'aura pas de fin, que la musique ne s'arrêtera jamais et que tout se passera sans malheur signé Rosianne Blais.

— Va rejoindre tes amies, dit Mike en se penchant à mon oreille pour que je l'entende malgré les décibels.

Mes *amies...* c'est un grand mot. Malgré le bracelet d'amitié qui nous unit, je les connais depuis trois jours seulement. Et je suis réellement près de lui, qui forme un mur entre le reste du monde et moi. Impossible toutefois de ne pas avoir une envie folle de danser quand une chanson de Rihanna fait trembler les murs du gymnase. Mes pieds trépignent. Mike sourit en lisant l'hésitation sur mon visage.

— Je ne serai pas loin.

— OK!

Ses doigts se détachent des miens alors que je me faufile entre les danseurs. Comme il fallait s'y attendre, qui occupe tout l'espace, forçant les élèves à se pousser sur les côtés? Rosianne et sa gang! Eh! Nous avons le droit de danser, nous aussi! Tant pis, je me plante dans leur mire en entraînant Emma et Marilou.

— Où est Océane? que je crie dans les oreilles d'Emma.

— Je ne sais pas, répond-elle en secouant ses épaules, elle avait encore très mal à sa dent tantôt.

Dommage qu'elle ne soit pas avec nous! Nous ne sommes jamais trop pour affronter l'ennemie. Le moins que l'on puisse dire, c'est qu'elles sont belles, les princesses... et elles bougent tellement bien au rythme de la musique. Des déhanchements *sexy*, des clins d'œil provocateurs à tous les gars qui tournent autour d'elles. Quels idiots… Même William se pâme pour elles. Au moins, Julien frappe des mains pour encourager Marilou.

Je cherche Mike en pivotant sur moi-même. Je souris, car il n'est pas difficile à repérer. Il est nonchalamment adossé au fond de la salle. Il observe autour de lui sans manifester d'intérêt pour la fête – ni pour les danseuses étoiles qui prennent de plus en plus de place sur la piste de danse.

Mes amies et moi échangeons un regard entendu. Nous décidons d'en mettre plein la vue, nous aussi! Emma accélère la vitesse de ses mouvements pour attirer l'attention de William, Marilou lève les bras encore plus haut dans les airs, j'essaie de bouger mes hanches aussi lascivement que l'*autre*. Je n'ai aucune idée si l'effet est réussi, mais nous empiétons subtilement sur leur territoire en les obligeant à resserrer leur cercle. Voyant notre jeu, elles recourent à la même tactique. Nous poussons, elles repoussent. La guerre de celle qui aura la plus belle place pour danser est officiellement ouverte! Du moins, jusqu'à ce qu'une douleur vive à mon pied me fasse plier le genou.

Un talon pointu vient de m'écraser les orteils. Mon père s'est déjà fait un trou dans la main avec sa perceuse, je comprends maintenant sa souffrance!

— Oups! c'était ton pied, Marguerite?

J'ai juste envie de grogner devant le sourire sarcastique de Rosianne. Elle l'a fait exprès! Je voudrais bien l'engueuler, mais la douleur est trop vive. Oh non! Elle s'en va droit au micro! Je lance un regard paniqué à Mike, mais il discute avec Alex, le prof de gym. Emma et Marilou restent à mes côtés en signe de solidarité. J'aperçois alors Océane au loin, le corps à moitié couché sur une table, la tête au creux de ses bras. Est-elle malade?

— Votre attention, tout le monde ! interrompt Rosianne.

Il faudrait lui expliquer qu'on ne colle pas la bouche sur un micro… Olivier Côté baisse le volume de la musique. Je voudrais être une petite souris, disparaître dans les fissures du plancher ! Si seulement le plancher en avait.

— C'est le moment de vous annoncer à qui appartient le soutien-gorge mystère… et affreux, n'est-ce pas ?

Un rire exagéré sort de sa poitrine. Les moutons dans la salle l'imitent. Je roule des yeux, me disant : « Allez, crache-le qu'on en finisse ! » J'ai un dernier espoir en voyant Mike obliger les adultes à intervenir. Madame Bournival pince les lèvres avec un regard fuyant, se balançant d'une jambe sur l'autre sur ses talons aiguilles. Ce n'est pas la peine d'insister, elle ne veut pas se mouiller devant une gang d'ados en puissance. Et le prof de gym, lui ?

— J'inviterais d'abord le gagnant à venir me rejoindre, annonce Rosianne. William Tessier !

Je le savais !

Le visage d'Emma devient livide pendant que celui qui l'accompagne au bal, mais qu'elle n'a presque pas vu de la soirée, avance sur la scène d'un pas fringant. Il est pressé, l'ami ! Le vainqueur gagnait le privilège d'embrasser Rosianne. Tout le monde le sait, et Emma le sait aussi…

La chipie ose mettre sa main sur son bras ! Je sens Emma se raidir totalement.

— Alors, William, peux-tu nous dire le nom de la fille qui porte ce sous-vêtement ? ajoute-t-elle avec une grimace de dégoût en pointant MON soutien-gorge.

Le grand insignifiant a les genoux chancelants et un sourire ridicule devant la reine des lieux. Il replace encore une fois son nœud papillon, une vraie manie! S'il continue, je le lui coupe avec des ciseaux! Il s'étire vers le micro, je ferme les yeux...

— Ouais, c'est à notre petite nouvelle, Marguerite Lafleur!

Est-ce que mon cœur s'est arrêté? J'ai le vertige. Les applaudissements fusent de partout, des rires, des regards, des doigts pointés vers ma personne. Je veux reculer, fuir cette masse de gens que je ne connais pas et que je ne veux pas connaître.

— Attendez!

Quel est ce cri? Où est Marilou?

— Qu'est-ce qu'elle fait? s'écrie Emma, tenant mon bras si serré qu'il m'est impossible de sortir en courant.

Les murmures l'emportent sur les applaudissements. Rosianne et William fixent Marilou, qui monte sur scène. J'aimerais bien être dans leurs têtes pour savoir à quoi ils pensent à cet instant même!

— Beaux souliers! crie quelqu'un de la salle à Marilou, pour rire de ses Converse roses.

Elle fait quelques pas de danse pour les mettre en valeur, avant d'arracher le soutien-gorge des mains de Rosianne.

— Vous faites erreur, s'empresse-t-elle de rectifier. Marguerite et moi avions échangé nos sous-vêtements ce jour-là. Il est à moi, ce truc.

Je reste bouche bée, mais ce n'est rien en comparaison de l'expression de Rosianne. Elle est verte de rage. Marilou la regarde avec du feu dans les yeux. Elle est extraordinaire ! Je ne la savais pas si courageuse. Elle vient de grimper sur une scène – avec des Converse roses – pour avouer devant toute l'école qu'elle porte un soutien-gorge ultralaid qui n'est pas du tout le sien.

— Avant de faire un concours bidon, vérifie tes sources !

— Ça veut dire que William n'embrassera pas Rosianne ! chuchote Emma à mon oreille.

Je lui fais signe de se taire. La face de Rosianne vaut mille dollars ! Marilou se tourne vers la foule amusée par tout le flafla qui ne mène nulle part.

— OK, je l'avoue, il est vraiment horrible, mais quand on fait du sport, il faut que ça tienne... vous comprenez ? Désolée, William, de briser tes espoirs d'embrasser la belle Rosianne !

Le temps est suspendu. Dans ma tête, je vois Rosianne au ralenti attraper le collet de William et l'attirer vers elle. En réalité, ça se passe à la vitesse de l'éclair ! Tout le monde reste stupéfait pendant quelques secondes, même William. D'abord surpris, il l'enlace ensuite en donnant plus d'ardeur au baiser qu'elle vient de lui donner ! Ark ! C'est finalement Rosianne qui l'interrompt en rigolant.

Emma est au bord des larmes. Pourtant, c'est d'une évidence que la chipie ne veut pas de William ni d'un autre garçon. Elle veut Mike, elle le suit des yeux depuis le début de la soirée !

— Ils se sont servis de moi pour faire entrer de l'alcool au bal ! William n'en avait rien à faire, de m'accompagner. J'ai l'air d'une belle conne, maintenant !

J'ai presque envie d'applaudir à mon tour. Enfin, Emma a compris ! Sans que j'aie le temps de la retenir, elle s'élance en trombe vers la méchante sorcière qui vient de sauter gracieusement de la scène avec l'aide de prince William. Ce sera spectaculaire, car Emma est en furie !

La musique reprend dans les haut-parleurs, tout le monde recommence à danser comme si rien ne s'était passé. Je me rends compte que personne n'a accordé d'importance au concours de soutien-gorge. Les élèves veulent faire la fête, c'est tout ! Marilou revient avec un petit sourire... et mon soutien-gorge accroché au cou. Elle ne manque pas d'audace !

— Merci, Marilou, tu n'étais pas obligée de faire ça, que je lui dis en la serrant dans mes bras.

— Je n'allais pas les laisser t'humilier sans rien faire ! C'est comme ça dans le Club des Girls, on se serre les coudes ! dit-elle en pointant nos bracelets identiques. On est là pour s'entraider. Faire face à l'adversité.

Marilou vient de me donner une belle preuve d'amitié qui me touche vraiment. Je fais partie de leur gang ! J'ai envie de crier de joie, la catastrophe a été évitée, je ne serai pas la risée de tout le monde pendant des jours ! Je veux danser, chanter, retrouver Mike...

C'est plutôt un cri d'horreur qui parvient à mes oreilles, malgré la musique tonitruante. Je me lève sur le bout des orteils pour voir par-dessus toutes les têtes qui se dressent.

Le hurlement a été poussé par Rosianne. Emma vient de lui lancer un verre de boisson gazeuse orange ! Sa robe rose est maintenant teintée d'une drôle de couleur... Je bouscule les curieux pour mieux observer la scène. Rosianne réplique en tirant les cheveux de mon amie. Sa coiffure se défait en moins de temps qu'il n'en faut pour le dire. Oh ! On ne touche pas aux cheveux d'Emma, c'est sacré ! Cette dernière riposte en la poussant, l'autre déchire une bretelle de sa robe. Des coups de sac à main pleuvent, des ongles se fichent dans la peau…

Le prof de gym intervient pour les séparer. Emma se dirige vers les toilettes en courant, pendant que Rosianne, par des battements d'ailes nerveux, tente de se débarrasser du liquide collant. De nombreux élèves se porte volontaires pour lui procurer une montagne de serviettes de papier. Elle en a plein le visage ! Dommage pour son beau maquillage. Curieusement, on dirait bien que le charmant William ne veut pas se mêler de cette affaire…

Mon coude se heurte à quelque chose de dur. Je constate que Mike est debout derrière moi. Depuis quand est-il là ? Il observe les malheurs de Rosianne sans broncher. Je ne sais pas quel lien les unit, ni d'où sort cette photo d'elle et lui sur Internet, mais je ne terminerai pas la soirée sans en savoir davantage ! Pour l'instant, il y a plus urgent à régler.

— Je vais aller voir Emma.

Mike hoche la tête. Ah ! C'est tout ?

Marilou marche sur mes talons. Océane, qui nous voit passer, nous emboîte le pas. Les sanglots d'Emma résonnent en écho dans la salle de toilettes déserte. Nous n'avons qu'à suivre ses reniflements pour trouver la cabine où elle s'est enfermée.

— Ouvre, Emma, c'est nous, lance Marilou en frappant doucement à la porte.

Un sanglot, un reniflement, un hoquet.

— Qui ça, *nous* ?

— Moi, Marilou, et le Club des Girls. Ouvre, sinon je passe sous la porte ! menace-t-elle.

Elle oserait faire ça ? Je la regarde en plissant le nez de dégoût. Le plancher d'une salle de toilettes d'école est toujours infect ! J'ai mal au cœur juste à penser aux mille microbes que je pourrais toucher en y posant les mains.

Clic !

La porte s'ouvre lentement. Marilou et moi avons le même mouvement de recul. On dirait qu'Emma s'est battue avec une lionne enragée ! Son mascara a coulé, ses cheveux sont défaits...

— Je me suis fait avoir comme une débutante !

Elle tombe dans les bras de Marilou, qui lui tapote le dos. Je mouille un bout de papier brun pour nettoyer son visage. Ça ne fera pas des miracles, mais ça ne peut pas être pire !

Océane est assise sur le comptoir, la tête appuyée contre le miroir, en tenant sa joue enflée. Elle n'a aucun plaisir à être ici ce soir ! D'ailleurs, est-ce que quelqu'un en a ? Océane est verte comme une plante qu'on n'a pas arrosée depuis trois semaines, Emma est en pleurs, et je ne suis pas au bout de mes malheurs avec Rosianne Blais. Marilou semble épargnée... pour l'instant !

— Tu veux t'en aller ? demande Marilou à Emma.

— Non, je veux sa mort !

Elle était tellement excitée par le bal. Et par son beau William ! Quelle soirée de merde ! Marilou la berce sur place en lui murmurant des « chutttt », comme on le ferait à une enfant en larmes. Au fond, Emma a eu raison de faire une scène, j'aurais probablement fait pire !

Elle se défait des bras de Marilou pour essayer de replacer ses cheveux dans le miroir. Ce n'est pas gagné d'avance, vu l'état de sa tête.

— Il ne s'en tirera pas aussi facilement ! grogne-t-elle en arrachant les épingles qui se défont. Je n'ai pas dit mon dernier mot à William Tessier !

Elle essuie du revers de la main la goutte qui lui pend au nez ; ce n'est pas très chic comme geste, mais au point où elle en est…

— Je crois que c'est assez de drames pour ce soir, tente de l'apaiser Marilou.

J'aperçois Mike dans le reflet du miroir. Il a une épaule appuyée au mur, son pied droit croisé sur le gauche. Il semble discuter avec quelqu'un. Je me déplace un peu pour mieux voir.

NON !

— J'ai besoin de boire de l'eau…

J'entends à peine la plainte d'Océane. C'est que Rosianne, avec sa robe maintenant mi-rose, mi-orange, est devant Mike. Mes oreilles bourdonnent, mes yeux brûlent, quelle image désagréable à voir ! J'ai le même sentiment que lorsque j'ai découvert leur photo sur Internet. Ça m'irrite ! Voilà ! Mais qu'est-ce qu'elle lui veut encore ?

Je laisse Emma aux bons soins de Marilou, qui s'occupe bien d'elle. J'abandonne aussi Océane, qui se tient la joue à deux mains en se tordant de douleur, pour foncer vers la sortie, mue par une poussée d'adrénaline hors du commun !

Les élèves qui s'empiffrent de croustilles au BBQ et de chocolat aux cerises me regardent passer, perplexes. «La nouvelle n'a pas l'air contente!» que j'entends dans mon dos. Oh que non! Moi aussi, je suis capable d'asperger de boisson gazeuse le visage de mon ennemie! Du Pepsi, tiens, pour faire changement!

Rosianne me voit venir dans son champ de vision. Elle file en douce avant que j'arrive à sa hauteur. Bien fait pour elle! Ce n'est pas juste un verre de boisson gazeuse que j'avais envie de lui lancer!

Toujours appuyé au mur, Mike ne trouve rien de mieux à faire que de sourire en apercevant mon visage crispé. Il sait à quel point je la déteste.

— C'est une soirée plutôt divertissante, je regrette de ne pas venir aux activités de l'école plus souvent!

C'est vrai que, pour un gars qui doit trimer dur pour boucler les fins de mois à la place de son père, nos crises doivent lui paraître plutôt superficielles.

— Tu la connais bien, Rosianne?

Mike se redresse pour me gratifier encore une fois de son regard… étrange.

— Oui, on travaille ensemble au café.

Évidemment. Je baisse la tête sans oser poser plus de questions. C'est Mike lui-même qui relève mon menton de son index.

— Marguerite, si tu me demandais franchement ce que tu veux savoir, ce serait plus simple.

Il est là, avec ses grands yeux, à me regarder, MOI. Comment ne pas fondre sur place? Même si mes jambes sont molles comme de la guenille, je sais que je dois être honnête avec lui. On ne joue pas la comédie, avec Mike Lambert !

— Il y a déjà eu quelque chose entre elle et toi ? que je demande timidement.

Il tarde à répondre et ça m'affole. J'ai la bouche sèche, je vais perdre connaissance…

— Non, jamais.

La boule d'inquiétude qui s'était formée au creux de ma poitrine diminue d'un seul coup. Il ne s'est rien passé avec elle ? Mike devine mon étonnement.

— Non, ce n'est pas vrai, il y a autre chose.

Je le savais, je le savais… JE LE SAVAIS !

— Mon père a eu des… comment dire ? des problèmes l'été dernier. Les parents de Rosianne ont été mon foyer d'accueil pour quelques mois. Nous avons donc vécu sous le même toit un certain temps. C'est tout.

Ce qui explique la photo d'eux autour d'un feu de camp !

— Et ce n'était pas de tout repos, si tu veux savoir, ajoute-t-il avec un sourire en coin.

Mike tourne son regard vers la piste de danse. Les couples se collent sur la chanson *I Won't Give Up* de Jason Mraz. L'un des jumeaux tient une jolie fille blonde dans ses bras, pendant que l'autre s'occupe de la console de son. Rosianne et William se bouffent littéralement les amygdales au centre de la piste. C'est tellement de la fanfaronnade, on dirait des acteurs de cinéma qui veulent donner un bon spectacle. Il ne faut pas qu'Emma voie ça! Ah tiens! Madame Bournival et le prof de gym qui se pelotent un peu!

— Viens, me dit Mike doucement.

J'ai l'impression que les petites lumières bleues autour du gymnase sont encore plus scintillantes. Nous croisons Marilou, qui ne quitte pas son Julien des yeux. Un détail me frappe en les voyant: il est plus petit que mon amie de quelques centimètres. Comme quoi il n'y a pas que la taille qui compte. L'amour n'a pas de galon à mesurer.

Je n'ai pas ce problème-là avec Mike, puisque je dois monter sur le bout des orteils pour passer mes bras derrière son cou, même s'il est assez galant pour se pencher. Tout le monde nous dévisage, mais je m'en fous. Je ne veux pas gâcher ce moment! Ce n'est pas la première fois que je danse un *slow*, mais c'est la première fois que ça me rend nerveuse. Je ne voudrais pas lui marcher sur les pieds! Est-ce que mes doigts sont bien placés? Oh! je touche ses cheveux… Je suis déconcentrée par Emma en pleurs dans un coin, en compagnie d'Océane qui n'a pas l'air plus en forme. Quelle soirée ratée pour elles!

Mike monte une main à ma nuque pour que ma tête retombe sur son épaule. Je sens ses lèvres effleurer mon front. Il doit percevoir mon cœur dans ma poitrine tellement il bat vite! Finalement, je n'ai qu'à le suivre. Il nous fait tourner lentement… c'est à peine si nous bougeons. Je peux sentir son odeur. C'est léger, discret… Ce n'est pas un parfum, mais plutôt un mélange de sucre et de cèdre.

Je redresse doucement la tête. Je veux voir ses yeux de près. L'exercice est plus perturbant que je ne le croyais. Des yeux bleus qui vous hypnotisent sur place. C'est une expression nouvelle que je découvre. Il n'affiche pas cet air fermé et méfiant comme il le fait si souvent. À cette seconde même, je pourrais jurer que ses yeux sont brillants! Sa main se pose sur ma joue brûlante. J'ai le sentiment qu'il veut me dire quelque chose, mais qu'il ne sait pas par où commencer.

Je voudrais lui crier: «On a toute la vie pour parler, embrasse-moi!» Je suis trop timide pour faire un mouvement en premier. Je ne sais pas comment m'y prendre. Mike sourit en lisant dans mes pensées – ou sur mon visage affolé! Il s'incline au-dessus de moi, mes doigts se resserrent sur ses avant-bras…

Un mouvement brusque sur ma droite me fait cependant tourner la tête juste avant de toucher les lèvres de Mike. Julien recule de plusieurs pas, comme s'il avait été bousculé! Mike garde son bras autour de mes épaules, mais il se déplace lui aussi pour voir ce qui se passe. Les élèves se dispersent. Au centre apparaît Marilou, qui fait face à… SON PÈRE!

Monsieur Cormier n'est pas fou de rage. Non, il regarde sa fille droit dans les yeux en pointant la sortie d'un doigt autoritaire. C'est pire que de se faire engueuler devant toute l'école. Marilou est rouge de honte. Je la comprends! On a l'air de quoi, quand notre paternel vient nous interrompre pendant une fête? Un *slow*, en plus!

Madame Bournival essaie de comprendre la situation, mais monsieur Cormier lève une main pour l'empêcher d'argumenter. Ancien directeur d'école, hein? Sans aucun doute, il devait être parfait dans ce rôle. Grand, élégant, le regard imperturbable sous ses sourcils épais; il a le physique de l'emploi, comme on dit!

D'ailleurs, il lève les yeux sur moi alors que Marilou se dirige à l'extérieur en pleurant. Un frisson me parcourt le dos. Est-ce qu'il va crier contre moi? Après tout, je suis la méchante, pour lui, dans cette histoire. C'est moi qui ai inventé une tante qui nous accompagnerait au cinéma. Il a cru le mensonge au sujet de la supposée maladie de ma mère. Il s'est fait avoir, et il le sait! Notre plan aura fonctionné à moitié, finalement…

Le père de Marilou se contente de me fixer. Quel regard! J'ai envie de me rouler en boule comme un petit chaton qu'on vient de disputer pour avoir mis la patte dans son bol de lait. Ma lèvre supérieure tremble. Je sens qu'il mémorise chaque détail de mon visage. Il n'y a pas de doute, il ne veut pas revoir ma personne chez lui! Je suis bannie à vie! Je ne serais pas étonnée qu'il empêche Marilou de me voir. Pauvre cocotte, elle se fera sûrement passer un savon en arrivant à la maison!

Julien s'est éclipsé subtilement parmi la foule d'élèves qui zieutent la scène avec curiosité, il ne souhaitait probablement pas affronter le père Supérieur! Ce ne sera pas de mon soutien-gorge que l'on parlera à l'école lundi matin, mais du père de Marilou, qui tourne les talons en fusillant les profs-surveillants de ses yeux de directeur d'école.

Rosianne assèche ses belles dents blanches avec un sourire plus que satisfait. Elle aura quelque chose de plus intéressant à écrire sur Facebook que «L'art d'avoir l'air folle avec de la boisson gazeuse orange sur une robe rose». Elle mériterait un sac de croustilles sur la tête! D'ailleurs, le beau William piétine à côté d'elle en riant parce que c'est justement ce qu'elle lui suggère de faire. Pathétique…

Le bal est en mode pause. La plupart des élèves se demandent ce qui se passe, quelques-uns s'embrassent encore sur la piste de danse maintenant vide. Les jumeaux Côté réfléchissent à la façon dont ils vont pouvoir réanimer la fête en raison du froid que cela a jeté. Je croise le regard affolé d'Emma et d'Océane.

— On s'en va quand tu veux.

Mike attend mon signal de départ. Il voit bien que la fête est finie pour le Club des Girls. Dire qu'il allait m'embrasser…

— OK, fichons le camp d'ici ! que je dis en faisant un signe aux girls au loin.

49
Un retour enneigé

Emma me pousse sur la banquette. Je me retrouve assise au centre, avec le levier de vitesse entre les deux jambes. Océane a insisté pour marcher, elle habite tout près.

— C'est mon pire bal à vie! pleurniche Emma en s'installant à ma droite.

Est-ce qu'on peut vraiment dire ça à quatorze ans?

— As-tu vu la tête de William quand on est parties? L'as-tu VUE?

— Oui, je l'ai vue! que je répète sur le même ton hystérique.

Au moins, mon amie n'a pas joué à la victime devant lui! C'est tout à son honneur. Elle a relevé la tête, les épaules, le buste… bref, tout ce qui se remonte. Elle a quitté la salle sans le regarder. J'espère qu'il n'a pas vu que le bas de sa robe s'est coincé dans la porte…

— Il souriait! Vous aviez raison, il s'est moqué de moi du début à la fin, ajoute-t-elle en passant une main dans ce qui reste de sa coiffure.

J'encercle ses épaules de mon bras pour la consoler, mais il fait tellement froid dans le camion que je grelotte. Me coller contre Emma me réchauffe un peu. Heureusement que sa mère m'a prêté un manteau parce que, sans lui et sans le foulard soyeux qui me caresse le cou, je serais congelée comme un bloc de glace à l'heure qu'il est! Tout en frictionnant doucement le bras de mon amie, j'observe du coin de l'œil Mike, qui s'affaire à déneiger le véhicule. Les gros flocons collent sur son manteau noir.

— C'est vrai que c'est plate, ce qui t'arrive, Emma, mais pense un peu à Marilou ! J'espère qu'elle va bien… Elle doit vraiment avoir honte !

Emma appuie sa tête contre la mienne, dans un ultime signe de découragement.

— C'est vrai, c'est épouvantable. Quelle horreur ! Règle du parent *cool* 101 : « Ne jamais ridiculiser son enfant devant ses amis ! » C'est la base. Il aurait pu attendre d'être de retour à la maison pour l'engueuler !

Nous échangeons un regard approbateur.

— Il n'a pas dû se gêner, hein ? ajoute Emma en secouant la tête. Elle était si heureuse de venir au bal.

— Son père m'en veut à mort, que je soupire, il va me détester pour le reste de ses jours !

Emma hausse les épaules en s'agglutinant un peu plus contre moi. Il fait vraiment froid ! Et la vitre du côté du passager n'est pas entièrement fermée. L'espace d'un doigt permet au vent d'y siffler !

— On a seulement voulu l'aider.

Mike monte dans le véhicule, fouetté par une nouvelle bourrasque.

— Temps de chien !

Il secoue ses cheveux mouillés de neige sous les yeux émerveillés d'Emma. Elle n'arrive pas à croire qu'il est là, avec nous, qu'il parle, qu'il respire... Je lui donne un coup de coude pour qu'elle cesse de le dévisager. Franchement!

J'espère que le camion démarrera du premier coup, parce que je ne sens plus mes orteils dans mes chaussures de bal.

Vroum!

Si le moteur fonctionne, on ne peut pas en dire autant des essuie-glaces. En plus de faire un bruit d'enfer, ils ont tendance à n'essuyer que le haut et le bas du pare-brise, mais pas le centre. Mike doit se redresser sur son siège pour bien voir.

Sans aucune raison, Emma éclate d'un fou rire qui étouffe le bruit grinçant de la transmission. Le genre de rire à se taper sur les cuisses, à en pleurer.

— Avez-vous vu la face de Rosianne quand je lui ai lancé le verre de boisson gazeuse sur sa belle robe? Ça valait cent piastres!

Je revois l'image dans ma tête. Ses yeux sortis de leurs orbites, son visage furieux, au bord de l'hyperventilation. J'espère sincèrement que quelqu'un a pris une photo de la scène! Elle fera le tour du Net – j'y verrai personnellement. Mon rire se joint à celui d'Emma. Même Mike nous accompagne, plus discrètement, bien entendu.

Les flocons épais frappent le pare-brise de plein fouet. On ne voit pas à plus de trois mètres en raison du reflet des lumières de la rue. Ce n'est décidément pas une température pour un soir de bal – pour sortir tout court! – alors je suis soulagée quand Mike bifurque dans l'entrée chez Emma. La haute maison a presque l'allure d'un célèbre château comparée aux autres demeures de l'Île-Ville. Mike n'en fait pas de cas, mais ça me fait drôle de le voir devant tant d'abondance. Quand on sait d'où il vient…

— On se parle en ligne plus tard? demande Emma d'une voix enrouée.

Je la serre rapidement dans mes bras. La soirée a été longue et courte en même temps!

— Oui, à tantôt.

Lorsqu'Emma met un pied à terre, je prends instinctivement sa place sur la banquette. Pas que je voulais m'éloigner de Mike, mais il sera plus à l'aise pour conduire.

— Bye, Mike. Et merci de m'avoir ramenée!

Elle claque la portière avant de courir jusqu'au balcon. Évidemment, l'impact a fait descendre la vitre encore une fois. Mike soupire en débouclant sa ceinture. Il se penche carrément sur moi pour attraper la manivelle et remonter la vitre du mieux qu'il peut. Je n'ose pas bouger, ses cheveux frôlent mon visage.

— Désolé, dit-il en se redressant, je ne peux pas faire plus.

L'espace est encore plus grand que tout à l'heure et y laisse pénétrer davantage de vent. Mike recule dans l'entrée enneigée, les pneus dérapent une fois ou deux. Je hais l'hiver!

Nous dépassons un souffleur à neige, qui croit que la rue lui appartient car il prend tout l'espace. Du coup, je constate que, dans quelques coins de rue, nous serons devant chez moi. Mike me dira bonne nuit, la soirée sera terminée. Il retournera dans son monde avec son chien, son père et sa cabane. Je ne voulais pas que ça finisse. Pas comme ça, du moins.

D'autant plus que c'est son anniversaire !

J'ai une idée en voyant qu'aucune lumière n'éclaire la maison. Il n'est pas vingt-deux heures, mes parents travaillent peut-être encore. Ou ils sont sortis. Où sont-ils donc, au fait ? Cette dernière question ne m'habite pas longtemps, mon attention est reportée sur Mike. Juste Mike…

— Tu veux entrer ? que je lui lance sans réfléchir.

50
Un muffin fourré aux canneberges

Mike coupe le moteur, puis descend du véhicule sans hésiter. Je considère donc son geste comme un «oui». Ma nervosité monte en flèche. Qu'est-ce que je vais faire avec lui, une fois à l'intérieur? Qu'est-ce que je vais lui dire? Est-ce que je l'amène dans ma chambre? Non! C'est trop le bordel avec les boîtes de carton et tout!

Je cherche mes clés. C'est long, car j'ai les doigts gelés. Mon trousseau tombe dans la neige, Mike se penche pour le ramasser. Ça commence bien!

J'ouvre la porte en tâtant le mur pour trouver l'interrupteur. Ah non! Ma mère a fait des muffins aux canneberges. Ça sent les canneberges. Je déteste les canneberges!

Mike enlève son manteau que je lui arrache des mains pour le suspendre à un crochet. Mes gestes sont trop brusques, il doit se douter que je suis nerveuse. La honte! Mon image dans le miroir me fait sursauter. Mes cheveux sont aplatis par la neige fondante, mon nez est rouge, mon mascara a un peu coulé au coin de mes yeux… Tant pis!

Je me tourne vers Mike, qui se fraie un chemin entre deux piles de boîtes de déménagement et quelques pots de peinture.

— As-tu faim? Ma mère a fait ses fameux muffins aux canneberges!

Je pourrais y enfoncer une chandelle et lui chanter *Bonne Fête*! Bon… Mike s'assoit sur l'appuie-bras du divan en relevant rapidement ses manches jusqu'aux coudes.

— Pour être honnête, je n'aime pas tellement les canneberges.

Je souris, pas tant parce que nous avons un point en commun, mais parce que je suis rassurée. S'il crevait de faim, il n'aurait pas levé le nez sur un muffin maison, il en aurait avalé trois sans se soucier de la saveur!

— Mais je prendrais bien un verre d'eau, ajoute-t-il.

— Oui, bien sûr!

Est-ce que j'ai vraiment couru jusqu'à la cuisine pour le servir? Eh, misère!… J'en profite pour replacer un peu mes cheveux, pour passer le coin d'un mouchoir sous mes yeux défraîchis. Lorsque je reviens au salon, Mike regarde les livres déjà rangés dans la bibliothèque, près de l'écran plat.

— Tu aimes la littérature?

Il se retourne vivement, comme s'il était pris en flagrant délit. Il saisit son verre d'eau et en avale une longue gorgée.

— Oui, surtout les romans policiers.

— Je pourrais te suggérer quelques bons auteurs.

Ouais… enfin, vive Google! Je ferai une recherche rapide avant de me coucher. Pour l'instant, nous sommes plantés debout au milieu du salon trop silencieux. Mon regard tombe sur le pendentif qui orne son cou.

— Ça représente quoi?

Il le touche par réflexe.

— Un cadeau de ma mère, répond-il d'un ton détaché.

Je me permets de saisir la médaille entre mes doigts. Il ne bouge pas, mais sa respiration change. Elle devient plus lente, plus profonde.

— Elle n'habite plus avec vous ?

Une ombre passe dans ses yeux et je regrette aussitôt d'avoir abordé le sujet.

— Non, il y a plusieurs années que je ne l'ai pas vue. Je ne sais pas ce qu'elle devient.

Mike soutient mon regard, mais je ne parviens pas à saisir ce qu'il essaie de me dire. Le son des déneigeuses est le seul bruit de fond. Soudain, le lien se brise, il recule d'un pas.

— Je dois y aller. Je ne veux pas traîner avec cette neige si je veux pouvoir me rendre chez moi.

Oh, déjà !

— Je comprends.

— Je passerai demain pour te donner le travail de géo, me dit-il comme s'il me parlait de la météo.

Il remarque mon air confus, car il ajoute :

— Le travail d'équipe pour le cours de géo, je l'ai terminé depuis longtemps. Tu pourras le remettre avec nos deux noms.

Je dois avouer que je suis impressionnée, il s'est tapé toute la recherche seul ? Mike sourit.

— J'ai l'habitude de travailler en solo.

En tout cas, ce n'est pas parce qu'il a dû reprendre deux années dans son parcours d'études qu'il n'est pas intelligent. Il a l'esprit vif et le sens du travail. Dommage que la vie mette tant d'embûches sur sa route !

— Et notre rendez-vous manqué pour en préparer le plan ? que je lui dis avec un sourire espiègle.

Après tout, si le travail était déjà fait, pourquoi avoir fixé un moment pour en discuter ? Un sourire taquin se dessine sur ses lèvres.

— Un prétexte pour te voir.

En même temps qu'il prononce ces paroles, j'ai un doute. Un mauvais pressentiment qui fouette le sang dans mes veines.

— Attends, pourquoi ce n'est pas toi qui remets le travail à madame Bournival ?

Mike ferme les yeux pendant deux secondes. Quand il pointe de nouveau son regard sur moi, je connais déjà la réponse.

— Je ne retournerai pas à l'école.

Mon cœur cesse de battre.

— Ah non ?

Je me souviens de ses paroles : « Mon temps dans ce foutu village achève. J'aurai bientôt seize ans. C'est tout ce que j'attends pour lâcher l'école et dégager. » Il était sérieux ! Peut-on lui en vouloir ? Il vit dans des conditions horribles, n'importe qui voudrait s'enfuir à l'autre bout du monde !

Mike ressemble à un mur de briques en ce moment. Il est calme, je dirais même serein. Voire soulagé !

— C'était pour régler les derniers détails, ma rencontre avec le directeur hier matin. J'ai seize ans et j'en ai assez de cette vie.

Je ne peux quand même pas le laisser abandonner l'école sans rien faire !

— L'année est presque terminée ! Ensuite, il y aura les vacances, le soleil...

Je me tais, parce que ses yeux bleus sont éteints. Il a beaucoup trop de vécu pour que je lui fasse la morale. Je lui parle de vacances alors qu'il vit l'enfer.

— Regarde mon visage, Marguerite, dit-il en pointant son œil écorché. Je n'ai plus rien à faire ici.

— Ça, c'est toi qui le dis !

Je suis égoïste, je sais, mais je veux encore le voir dans les couloirs de l'école. Et qu'adviendrait-il du mystérieux casier 137 s'il s'en va ?

— J'ai déjà raté deux années scolaires à cause de mes nombreuses absences, ça ne ferait qu'empirer dans les mois à venir avec mon père qui est dans une mauvaise passe. Je n'ai pas envie de tout recommencer encore une fois, je ne peux plus le supporter, il faut que je parte...

— Qu'est-ce que tu vas faire ? que j'arrive à prononcer, la voix étranglée.

— Je ne sais pas encore. J'ai des économies... J'ai aussi un oncle qui habite à Québec, dit-il avec légèreté. Il accepte de me prêter une chambre. Pour le reste, je verrai. Je pourrai être apprenti plombier dans sa compagnie.

QUÉBEC!

C'est le dernier coup de masse. À l'inverse de moi, il quitte la campagne pour la ville. Un peu plus, nous nous serions croisés sur l'autoroute sans jamais nous voir! Quand je disais que n'importe qui dans sa condition voudrait s'enfuir à l'autre bout du monde, je ne voulais quand même pas dire si loin… Bon, c'est vrai, ça aurait pu être pire, à peine une heure de route.

— Et Rex? Qu'adviendra-t-il de lui si tu t'en vas?

L'affection qu'il a pour son chien est frappante; d'ailleurs, il sourit quand je prononce son nom.

— Je n'y ai pas encore pensé… Tu sais, Marguerite, ça n'a rien à voir avec le fait d'aimer étudier ou pas. Je reprendrai les cours un jour, mais pour l'instant je dois m'en aller.

— Ne t'inquiète pas, je comprends.

La dernière chose que je souhaite, c'est qu'il se sente coupable. Même si ça me brise le cœur, je sais que ce n'est pas une décision qu'il prend sur un coup de tête. Nous pourrions rester ainsi à nous regarder pendant des heures, car ni l'un ni l'autre ne sait quoi ajouter. Il veut laisser l'école et moi, je n'ai rien pour le retenir. En fait, personne n'attache un gars comme Mike Lambert à un endroit où il ne veut pas être.

— Bon, bien, je te dis au revoir, lance-t-il en terminant son verre d'eau d'un seul trait.

— Est-ce que je peux te poser une autre question?

Il me regarde au-dessus de son verre.

— Quoi?

Ma question n'est pas encore formulée que, déjà, il redevient le Mike méfiant, sur ses gardes à propos de ce que je m'apprête à lui demander.

— Tout le monde dit que tu t'isoles dans ton coin, que tu ne parles jamais à personne. Pourquoi le fais-tu si naturellement avec moi?

Même si ça me gêne, je ne pouvais pas le laisser partir sans savoir. Je ne sais pas à quoi je m'attendais comme réaction, mais certainement pas à le voir rire. Un rire franc, sincère!

— Tu veux vraiment le savoir?

— Euh…

Soudain, ses yeux rieurs deviennent sérieux. Mon cœur fait un bond quand il avance d'un pas! Qu'est-ce qu'il va faire? C'est tout ce que j'ai en tête! Ça, et les battements de mon cœur qui résonnent contre mes tempes.

— Parce que tu m'as souri, lâche-t-il entre deux souffles.

— Parce que je t'ai souri?

— Oui, quand tu es arrivée au cours de madame Couillard un peu perdue, tu as levé les yeux vers moi… et tu m'as souri! Personne ne me sourit jamais. Tu ne m'as pas regardé comme un animal sauvage sorti du bois, je me suis senti bien.

Ses doigts frôlent les miens. Moi aussi, je me sens bien avec lui.

— Et toi, tu étais le seul à ne pas rire de mon nom.

Mike approche encore un peu plus près, en tirant légèrement sur ma main, pour m'inciter à faire de même.

— Il est beau, ton nom. Et tu as tenu tête à Rosianne Blais, ça, vraiment, j'ai été impressionné.

Mike s'incline lentement. Il va m'embrasser! Il va M'EMBRASSER! J'ai les mains moites, j'ai chaud, je vais vomir… mourir!

Je ne sais pas comment faire! Je bouge un peu trop maladroitement, nos nez se heurtent l'un contre l'autre. Mike pose doucement ses mains sur mes joues pour me calmer, son regard près de mes yeux est si apaisant. Je prends mon temps. On dit qu'on se souvient de notre premier baiser toute notre vie, je veux qu'il soit mémorable!

Mike s'avance, je ferme les yeux et…

J'entends des pas sur le balcon! Ah non! Une clé dans la serrure. Mes parents! Mike recule, aussi surpris que moi.

On pourra dire que ça aura été mémorable.

51
Mauvais «timing»

Mon père et ma mère apparaissent dans la lueur de la lumière de l'entrée. Leurs manteaux sur le dos, des flocons de neige pleins la tête, ils nous regardent d'un air interrogateur. Ils comprennent qu'ils sont arrivés à un mauvais – très mauvais – moment.

— Papa, maman…, que je bafouille nerveusement, vous arrivez tôt !

Mon père croise les bras sur sa large poitrine, mais sans avoir la moitié de l'autorité de monsieur Cormier lorsqu'il est venu chercher Marilou.

— Je vois ça.

Ma mère est figée. Non pas qu'elle soit choquée, mais parce qu'elle se répète probablement une phrase stupide dans sa tête : «Ma petite fille chérie n'est plus un bébé !»

— J'y allais justement, déclare Mike en marchant jusqu'à l'entrée.

Je le suis de près pendant que mon père le regarde passer devant lui. Mike lui tend la main poliment.

— Bonsoir, monsieur.

Un peu étonné par ce geste de bonne manière, mon père lui serre la pince.

— Bonsoir, jeune homme. Tu as un nom ?

Je roule les yeux au plafond, *jeune homme*, franchement!

— Mike… Mike Lambert, répond-il avec assurance.

Je fais quelques mimiques à mes parents dans le dos de Mike pour leur faire comprendre de me laisser seule avec lui. Ma mère finit par tirer mon père par la manche.

— Viens, Gaétan.

Mike les salue d'un signe de tête en enfilant son manteau. J'attends qu'ils s'éloignent. Non, non, NON! Mes parents s'arrêtent à la cuisine! L'endroit idéal pour avoir une vue parfaite sur l'entrée, donc sur nous. Impossible de leur échapper complètement. À moins qu'on se colle tout près du mur de gauche…

— Merci pour la soirée, même si elle a été mouvementée! que je dis tout bas.

Mike voit clairement mes parents dans son champ de vision au-dessus de mon épaule. Il reste donc à une distance raisonnable, mais il sourit.

— C'était parfait.

— Et bonne fête encore une fois!

Je ne veux pas le voir partir pour Québec. Perdue dans mes pensées, je m'interroge sur le prix d'un billet d'autobus entre l'Île-Ville et la capitale nationale quand il se penche pour m'embrasser sur les joues. Pas vraiment le choix, puisque mon père joue au garde du corps – je dirais même au tireur d'élite – dans la pièce d'à côté! Il ralentit toutefois son élan et ses lèvres effleurent les miennes. C'est doux, délicat, ça ne dure qu'une fraction de seconde, mais c'est suffisant pour empourprer mes joues.

— Je passerai demain avant d'aller au café pour te donner le travail de géo. Vers dix heures ?

— D'accord.

Je le regarde sortir dans le vent et la neige qui virevolte autour de lui. Combien d'heures y a-t-il à patienter avant dix heures demain matin ?

52
Le bilan des girls

Mes parents ont *subtilement* tenté de savoir qui était Mike Lambert. Après tout, c'est la première fois que je me retrouve seule avec un garçon à la maison. J'ai répondu mon traditionnel «Ah! maman!», comme chaque fois qu'elle m'exaspère avec ses questions. Je n'ai pas envie de faire des confidences ce soir. Elle aurait probablement voulu qu'on s'assoie l'une contre l'autre sur le divan, enfouies sous des couvertures de flanelle, à se raconter nos vies en mangeant du chocolat. Ce sera pour une autre fois!

Le Club des Girls m'attend!

Je me suis enfermée dans ma chambre avant que ma mère me demande s'il m'a embrassée, mais après l'avoir tout de même rassurée que Mike n'avait pas essayé de me violer. Quand même, je la comprends de s'inquiéter. J'enfile rapidement un pyjama chaud – celui tapissé de petits moutons – pendant que mon ordinateur s'ouvre avec son éternelle lenteur. C'est sans doute jolie, une robe de bal, mais pas très confortable.

Je m'installe à l'indienne sur ma chaise de bureau pour camoufler mes pieds sous mes cuisses. J'ai encore les orteils glacés! Je fais quelques clics pour mettre de la musique. J'y vais au hasard, mais je souris en entendant la chanson *You can close your eyes* reprise par Gabrielle Destroismaisons.

J'appuie ma tête contre le dossier pour l'écouter jusqu'au bout. C'est beau, c'est doux… ça me fait penser à Mike! Je la fais jouer en boucle pendant que je regarde mes courriels.

J'ai un message de Joanie.

> **À :** Marguerite Lafleur
> **De :** Joanie Drolet
> **Objet : Le bal !**
>
> Et puis, ton bal ? Je veux TOUS les détails !
>
> Ta best xxxxxxxxxx

Je clique sur «Répondre», puis me ravise. Ce serait trop long à raconter. Dommage qu'elle ne soit pas en ligne, nous aurions pu faire un FaceTime rapide !

J'ouvre plutôt la page Facebook du Club des Girls, sous le regard endormi de Caramel qui ronronne. Je tombe presque en bas de ma chaise lorsque je vois Marilou en ligne ! Qu'est-ce qu'elle fait là ? Normalement, ses heures d'accès à Internet sont bien précises. Et comme son père est arrivé à l'improviste à la fête, je l'imaginais plutôt à genoux dans un coin en train de réciter devant ses parents : «Non, plus jamais je ne vous mentirai. »

Au moins, elle est encore vivante !

Marg

Marilou ! J'avais hâte d'avoir de tes nouvelles ! Es-tu correcte ?

Océane et Emma y sont également. Elles sont pétantes d'énergie, si je me fie à leurs commentaires sur le bal ! J'ai l'impression de revivre la soirée au grand complet en lisant les publications. «William est un con», «Rosianne est nulle». Bon, ça se résume pas mal à ça !

Marilou

> J'ai tellement honte, tu n'as pas idée !

Emma

> Il y a de quoi !

Marg

> Et avec ton père, comment ça s'est passé ?

Marilou

> Pfff ! Il ne m'a même pas engueulée ! Il m'a simplement dit de rester dans ma chambre jusqu'à nouvel ordre, qu'il allait réfléchir aux conséquences de mon mensonge de ce soir. C'est le pire scénario, un vrai cauchemar ! Marguerite, je crois qu'il va appeler tes parents, mais je vais tout faire pour l'en empêcher.

Je déglutis péniblement. Il n'y a rien à faire, je me sens coupable de ses malheurs. J'ai participé à ce mensonge même si cette idée était d'Emma.

Emma

Comment peut-il te punir? Tu es déjà privée de sorties, d'Internet... Euh! D'ailleurs, comment expliques-tu l'accès à Internet en ce moment?

Marilou

J'ai piqué la tablette électronique de ma mère dans son sac à main.

Elle n'aide pas sa cause si son père découvre ça! Quoiqu'au point où elle en est, j'aurais fait pareil.

Marg

Je suis désolée...

Emma

Au moins, on aura essayé. On pensera à un meilleur plan la prochaine fois!

Marilou

Ouais, la prochaine fois, mon père va m'amener au cinéma par la main pour être certain que je dis vrai!

Je n'ajoute rien pour ne pas provoquer une nouvelle crise, mais son père n'aurait pas tout à fait tort de douter de sa parole. Marilou lui a menti. La confiance, ça se gagne. J'ai rapidement compris ce que voulait dire le proverbe « Faute avouée est à moitié pardonnée». Mais je n'ai jamais été prise dans une situation aussi pénible que celle de Marilou, je ne peux pas la juger.

Océane

Est-ce qu'on peut mourir d'un mal de dents?

Emma

Mets de la glace!

Océane

Les filles, il faut que je vous dise, je suis allée au bal parce que ça vous emballait, mais ça me déprime chaque fois, ces fêtes-là!

Marilou

Pourquoi donc?

Océane

Vous étiez belles! Et vous aviez des beaux gars juste à vous...

Emma

Ouais, tu veux parler de William, peut-être? Marrguuueeerrritte! Comment ça s'est terminé avec Mike? (T'en fais pas, Océane, on te trouvera un gars! Tiens, je te laisse Will...)

Marilou

Julien ne voudra plus rien savoir de moi après ce qui est arrivé!

Marg

Mike est venu me reconduire, il est entré, il a bu un verre d'eau et il est reparti.

Emma

Oh! Allez, ma coquine, on veut des détails! Est-ce qu'il t'a embrassée? :)

J'écris d'abord un « oui », suivi d'un « non ». Puis j'efface tout. Je regarde clignoter le curseur. Est-ce qu'il m'a embrassée? Un rapide baiser sur les lèvres, est-ce que c'est *embrasser*?

Marg

Non...

Marilou

C'est une question de temps! As-tu vu comment il te regardait? Mike Lambert tripe sur toi, solide!

Emma

Plein de bisous à venir entre vos deux casiers!

Je soupire. Mike ne sera pas à l'école lundi matin. Au mieux, il passera chercher le reste de ses affaires. Est-ce que j'en parle aux girls ? Non, elles le sauront bien assez vite.

Emma

Alors, c'est quoi, votre bilan du bal, les filles ?

Marilou

Un bal vraiment pas rêvé !

Océane

Non, pas rêvé.

Marg

Vraiment pas !

Épilogue

Le bal classique en blanc à la Cendrillon était désormais derrière nous! Quand tout va mal... Non, ce n'est pas vrai, Mike a été parfait. Une notification en rouge apparaît en haut de l'écran. J'ai un nouveau message. Je ne sais pas pourquoi, j'hésite avant de l'ouvrir.

 Rosianne Blais

Toi et ta petite gang de girls, vous n'avez pas fini avec moi! Attends de voir ce que je te réserve... T'as rien vu encore! Compris? Et laisse Mike Lambert tranquille!

Je retourne à la page du Club des Girls. Mes doigts ne sont pas assez vite pour taper toutes les méchancetés que j'ai envie d'écrire sur *elle*.

 Marg
Ah ben %$%$/%$/%$/!
J'aime   Commenter   Partager   Il y a quelques secondes

 Océane Quoi?

 Emma QUOI? Tu as renversé de l'eau sur ton clavier? Tu t'es fait pincer une fesse par ton poisson rouge?

277

Marg Rosianne qui m'envoie un message d'insultes!

 Océane ??

 Emma Qu'est-ce qu'elle dit?

 Marg En résumé, je crois qu'elle ne m'aime pas beaucoup!

 Emma LOL (on le savait, hein!).

 Océane Nous non plus, on ne l'aime pas!

 Marilou Attendez! Julien m'a envoyé une photo...

J'ai encore le sang en ébullition quand Marilou partage une photo. On y voit Rosianne en crise, couverte de boisson gazeuse. De toute beauté! Elle veut la guerre, elle va l'avoir!

 Marg On la partage?

 Marilou Certain qu'on la partage! Surtout après ce qu'elle t'a fait à propos de ton soutien-gorge, Marguerite. (En passant, séance de magasinage au programme si tu penses sortir avec Mike! Il ne faudrait pas lui faire peur!)

Emma Je déclare Rosianne Blais notre ennemie jurée à vie !

Les filles se lancent déjà dans l'élaboration d'un plan d'action pour faire face à l'ennemie jurée. On peut dire qu'elles prennent la chose à cœur ! C'est beau de les voir faire tout ça pour moi. Elles sont prêtes à me défendre ! Pour des copines de classe que je connais depuis quelques jours seulement, c'est une véritable déclaration d'amitié. Des amies sur qui je peux compter ! J'en ai les larmes aux yeux en tournant le bracelet à mon poignet…

 Marg Merci, les girls, de m'accepter dans votre gang !

 Emma Un pour tous et tous pour un !

 Océane On dit : tous pour un et un pour tous, Emma…

 Marilou Oh non ! J'entends mon père qui approche, je vous quitte. Bye xxx

 Marg Moi aussi, je vous laisse, je vais dormir.

 Océane OK, je vais aller regarder un film… Bye xx

 Emma Bonne nuit, groupe ! Et bienvenue dans le club, Marg !

Marg À plus xx

Je clique pour fermer la fenêtre. Je fixe mon ordinateur, l'esprit vide. Un déménagement à la campagne – à l'Île-Ville! – où je pensais m'emmerder, voilà que je vis une véritable aventure depuis trois jours. Et je fais partie du Club des Girls. Ouf! Il n'y a peut-être pas de cinéma ni de centre commercial ici, mais il y a de l'action!

Et ça fait juste commencer!

Tu as le privilège de devenir
membre officiel du

Club des Girls !

Visite le site Internet de l'auteure
pour t'inscrire et avoir accès à de
l'information privilégiée sur la série :

catherinebourgault.com/jeunesse

Nom d'utilisateur : girls
Mot de passe : club4ever

Voici un aperçu du prochain tome du
Club des Girls :

Pouvez-vous croire qu'il fait plus de 30 degrés Celsius à l'extérieur et que j'ai les doigts complètement gelés ? La tête dans un congélateur, je suis en train de placer des contenants de croquettes et de pizzas qui, prétendument, goûtent comme celles au restaurant ! N'importe quoi…

Mes parents étaient fiers de m'offrir un job d'été dans leur épicerie. La joie ! J'ai empilé des boîtes de conserve, j'ai lavé des planchers, j'ai passé des heures à aligner des petites boîtes de Jell-O. Dieu merci, l'été est fini ! Plus que quelques jours avant la rentrée.

J'ai hâte de retrouver les girls !

Le Club des Girls a été un peu dispersé pendant les vacances. Emma est allée passer plusieurs semaines dans un chalet en Gaspésie, Océane était chez son père. Et Marilou ? Ses parents lui interdisent de mettre les pieds dehors sans un contrat signé des deux parties… J'exagère à peine ! Depuis l'incident du bal vraiment pas rêvé, le père de Marilou est encore plus sévère. Un vrai directeur d'école. Je ne l'ai donc presque pas côtoyée de l'été.

Je souris en voyant Olivier Côté – un des célèbres jumeaux – approcher en jonglant avec trois pamplemousses.

— Marguerite, as-tu entendu la rumeur ? On raconte que Mike Lambert est en ville.

Mon cœur s'arrête tandis que la boîte de pizza congelée aux olives noires glisse de mes doigts pour tomber dans l'allée.

À suivre à l'automne 2014…

Remerciements

Merci à mes «boys»: Sacha, Fabrice et Évance. Trois amours très masculins qui trouvent que maman écrit juste des livres de filles !

Un merci spécial à Sara Hébert, Mara Lacelle et Sandrine Pépin pour vos conseils tout au long de l'écriture de ce livre.

Merci à Marie Potvin et Pierrette Bernier pour votre fidèle collaboration.

Merci à Daniel Bertrand et son équipe de sauter à pieds joints dans mes idées un peu folles !

Merci à toi, précieuse lectrice et membre du Club des Girls, de faire vivre ce bel univers que j'ai créé avec tant de plaisir ! Passe me dire bonjour au prochain salon du livre !

Merci à la ville de L'Islet, où j'habite depuis plusieurs années, de m'avoir inspiré le nom de l'Île-Ville.